MÉTHODE DE FRANÇAIS

initial 1
Cahier d'exercices

Marina SALA
Christian BEAULIEU
Nadine VALLEJOS

CLE
INTERNATIONAL

Édition : Michèle GRANDMANGIN

●

Secrétariat d'édition : Christine GRALL

●

Fabrication : Patrice GARNIER

●

Conception graphique et mise en page : CRISTAL Graphic / Michel MUNIER

●

Couverture : CRISTAL Graphic / Michel MUNIER

●

Illustrations : Pierre CORNUEL

●

Coordination artistique : Catherine TASSEAU

SOMMAIRE

**Les corrigés des exercices se trouvent
dans un livret inclus dans cet ouvrage.**

LEÇON 1

◆ **Exercice 1 - Écrivez comme dans l'exemple.**

BONJOUR MADAME ! ÇA VA ?

BIEN, MERCI.

TRÈS BIEN, MERCI. ET VOUS ?

– Allô ! ....

– ....

– ....

– ....

– ....

– Pierre... c'est Anne ....

– ....

– ....

– ....

– ....

◆ **Exercice 2 - Faites comme dans l'exemple.**

Je / Sophie / m' / J'
Je / appelle / suis
française / habite / Paris / à
➜ *Je m'appelle Sophie. Je suis française. J'habite à Paris.*

1 - Je / m' / Anna / suis
portugaise / appelle / habite
J' / Je / à / Porto

Je m'appelle Anna.........

....

2 - m' / Rémi / Toulouse
français / habite / Je
Je / J' / appelle / suis / à.

Je m'appelle..................

....

3 - m' / Mario / appelle / Je
habite / J' / Je / suis
portugais / à / Paris

Je ....

....

◆ **Exercice 3 – Faites comme dans l'exemple.**

DUPONT
Sylvie
française
Lyon

Je m'appelle Sylvie Dupont.
Je suis française. J'habite à Lyon.

CARTIER
Pierre
français
Paris

....
....
....
....

SANTOS
Fatima
portugaise
Lisbonne

....
....
....
....

Et vous ?

....
....
....

◆ **Exercice 4 – Complétez.**

1. Je m'appe__ __ __ Marie. Je su __ __ française. __'habite __ Paris.

2. – Allô, c' _____ Pierre.
– Ah, Pierre ! Bonj __ __ __ . Ça __ __ ?
– Très b __ __ __ , m _____ .

3. __ __ __ jour, je m' __ __ __ elle Mike. J'habit__ à Toulouse.

4. – Bonjour, Anne. C'__ __ __ Alice.
– Bonj __ __ __ , Alice.__ __ va ?
– Tr __ __ bien, merci. Et v __ __ __ ?

5. Bonjour, je m'a __ __ e__ __e Marc Dumont. Je su __ __ français.
J'__ __ __ite à Paris. __t vous ?

◆ **Exercice 5 – Complétez.**

0 = *zéro*
1 = *un*
2 = ...
3 = ...
4 = ...
5 = ...

Complétez.

Z	É	R	O		

LEÇON 2

◆ **Exercice 1 - Faites comme dans l'exemple.**

Andrew

Je m'appelle Andrew, je suis américain. J'habite à New York.

Je parle anglais.

1 - ....

....

....

Aline

2 - ....

....

Carlo

....

3 - ....

....

....

Chang

4 - ....

....

Tomoko

....

◆ **Exercice 2 – Reliez comme dans l'exemple.**

1 - Vous êtes français ?

2 - Vous habitez à Tokyo ?

3 - Vous parlez italien ?

4 - Vous vous appelez Marie ?

5 - Vous vous appelez Pierre ?

6 - Vous êtes espagnole ?

7 - Vous habitez à New York ?

8 - Vous parlez chinois ?

a - Non, j'habite à Paris.

b - Non, je m'appelle Anna.

c - Non, je m'appelle Marc.

d - Non, je suis brésilien.

e - Oui, je suis espagnole.

f - Oui, je parle italien.

g - Non, je parle japonais.

h - Oui, j'habite à New York.

◆ **Exercice 3 – Complétez avec : *être - habiter - s'appeler* comme dans l'exemple.**

*Vous .... russe ? → Vous **êtes** russe ?*

1 - Je m'...................... Alexandre.

2 - Vous .... à Athènes ?

3 - Je .... japonaise.

4 - J'...................... à Moscou.

5 - Vous vous .... Sonia ?

6 - Je .... italien.

◆ **Exercice 4 – Faites comme dans l'exemple.**

Vous êtes française ?

– *Non, je suis anglais / anglaise.*

1 - Vous êtes japonais ?

2 - Vous êtes américaine ?

3 - Vous êtes brésilienne ?

4 - Vous êtes portugais ?

5 - Vous êtes anglaise ?

– Non, je suis chinois / chinoise.

– Non, je suis français / française.

– Non, je suis italien / italienne.

– Non, je suis espagnol / espagnole.

– Non, je suis indonésien / indonésienne.

LEÇON 3

◆ **Exercice 1 – Faites comme dans l'exemple.**

ADJECTIFS
jeun**e**
blon**d**
peti**t**
françai**s**

Olivia

*Elle s'appelle Olivia. Elle est français**e**.*

*Elle est petit**e**, blond**e** et jeune.*

ADJECTIFS
mince
japonais
brun
petit

2 - Tomoko

Elle ....

....

ADJECTIFS
jeune
grand
italien
joli

1 - Sophia

Elle ....

....

ADJECTIFS
jeune
grand
italien
joli

3 - John

Il ....

....

◆ **Exercice 2 – Complétez.**

Infinitif	Je	Il/Elle	Vous
			vous vous appelez
		il/elle habite	
	j'aime		
être			

◆ **Exercice 3 – Faites comme dans l'exemple.**

la danse / aime / et / la musique classique / Elle / .
→ Elle aime la danse et la musique classique.

1 - journaliste / Il / est / .
....

2 - J'/ le théâtre / aime / j' / aussi / mais / aime / le cinéma / .
....

3 - aime / le cinéma / français / il / américain / mais / Il / aussi / aime / le cinéma / .
....

4 - Vous / comment / vous / appelez / ?
....

5 - Vous / portugais / parlez / français / et / .
....

◆ **Exercice 4 – Complétez comme dans l'exemple.**

Paul (anglais)
→ Il s'appelle Paul. Il est anglais. Il aime le jazz.

1 - Patricia (brésilienne)
Elle s'appelle..

2 - Rudolph (russe)
Il...

◆ **Exercice 5 – Complétez comme dans l'exemple.**

– .... ? – *Très bien, merci.* → – **Ça va Charlie ?** – *Très bien, merci.*

1 - ....? – Non, je suis espagnole.

2 - ....? – Oui, il habite à Pékin.

3 - ....? – Oui, je parle français.

4 - ....? – Elle s'appelle Chantal.

5 - ....? – Oui, j'aime la musique brésilienne.

LEÇON 4

◆ **Exercice 1 - Complétez avec** *c'est, il est* **ou** *elle est.*

.... *Patrick.* .... *beau et jeune.*→ ***C'est*** *Patrick.* ***Il est*** *beau et jeune.*

1 - .... Anna. .... française. .... jolie.

2 - .... grand et mince. .... espagnol. .... Pedro.

3 - .... française. .... petite et brune. .... Nathalie.

4 - .... Takashi. .... brun et jeune. .... japonais.

5 - .... Paola. .... brune et belle. .... brésilienne.

◆ **Exercice 2 - Complétez comme dans l'exemple.**

Ayako est japon__ __ __ __. Elle est étudian__ __. Elle habite à Paris.
Elle est peti__ __ et jol__ __.
→ *Ayako est japon**aise**. Elle est étudian**te**. Elle habite à Paris. Elle est peti**te** et jol**ie**.*

1. Anna est espagno__ __. Elle habite à Madrid.
   Elle est gran__ __ et très jol__ __.

2. Marc est itali__ __. Il est profess__ __ __.
   Il est peti__ et bru__.

3. Victor est cuisin__ __ __. Il est indonési__ __.
   Il est gran__ et be__ __.

4. Jennifer est peti__ __. Elle est améric__ __ __ __.
   Elle est bru__ __ et be__ __ __.

5. Dorian est angl__ __ __. Il est act__ __ __.
   Il est jeun__ et blon__.

◆ **Exercice 3 – Qui est-ce ? Faites comme dans l'exemple.**

Mary BOLTON (chanteur - anglais – brun)
C'est *Mary BOLTON.* **Elle est** *anglaise.* **Elle est** *chanteuse.*
Elle est *brune.*

1 - Paul BOCHÉ

(cuisinier - français –

célèbre)

....

....

3 - Mario PIRES

(footballeur - brésilien –

grand)

....

....

2 - Andie CAREY

(acteur - américain –

joli)

....

....

4 - Tomoko IKEDA

(journaliste - japonais –

mince)

....

....

◆ **Exercice 4 – Alphabet. Complétez.**

1 - *A*lbert

2 - *D*elphine ....

3 - *F* ....

4 - ....

5 - ....

6 - ....

7 - ....

8 - ....

9 - ....

10 - ....

*D*elphine   *L*aure

*S*uzanne   *N*icolas

*I*sabelle   *P*ierre

*V*ictor   *A*lbert

*Z*oé   *F*lorent

LEÇON 5

◆ **Exercice 1 – Qu'est-ce qu'il y a dans le sac d'Agathe ? Complétez.**

*Dans le sac d'Agathe, il y a **des cigarettes,** ....*

..

◆ **Exercice 2 – Complétez avec *Qui est-ce ?* et *Qu'est-ce que c'est ?*, comme dans l'exemple.**

– .... ? – C'est Anna.   → **– Qui est-ce** ? – C'est Anna.
– .... ? – C'est un stylo.   → **– Qu'est-ce que c'est** ? – C'est un stylo.

1 - .... ?   – C'est Émilie.

2 - .... ?   – C'est un portefeuille.

3 - .... ?   – C'est un stylo.

4 - .... ?   – C'est Vanessa Paradis.

5 - .... ?   – C'est une carte bleue.

6 - .... ?   – C'est un sac rouge.

◆ Exercice 3 – Masculin ou féminin. Faites comme dans l'exemple.

Un homme blond - Une femme ....   → *Une femme **blonde***
Une carte bleue - Un stylo ....   → *Un stylo **bleu***

1 - Un beau chanteur - Une .... chanteuse

2 - Un couturier italien - Une couturière ....

3 - Une étudiante brune - Un étudiant ....

4 - Un acteur célèbre - Une actrice ....

5 - Une jolie photo - Un .... sac

◆ Exercice 4 – Complétez avec *un/une/des* et *le/la* comme dans les exemples.

Il y a   ***une*** photo   J'aime   ***la*** France

.... sac   .... sport

.... clé   .... musique classique

.... stylo   .... photo

.... lettres   .... cinéma

.... tickets   .... danse

◆ Exercice 5 – Complétez.   Complétez.

6 = ...

7 = ...

8 = ...

9 = ...

10 = ...

11 = ...

12 = *douze*

LEÇON 6

◆ **Exercice 1 – La phrase négative. Répondez comme dans l'exemple.**

– Elena, vous êtes italienne ? (non, anglaise)

→ – Non, je ne suis pas italienne, je suis anglaise.

1 - José, vous êtes espagnol ? (non, brésilien)

....

2 - Paul est chanteur ? (non, acteur)

....

3 - Valérie aime le jazz ? (non, la musique classique)

....

4 - Chang, vous parlez japonais ? (non, chinois)

....

5 - Sandra habite à New York ? (non, à Londres)

....

6 - Claudia a seize ans ? (non, quinze ans)

....

◆ **Exercice 2 – *Vouloir* et *aimer*. Faites comme dans l'exemple.**

– Elle veut un jean ? – Non, elle n'aime pas les jeans.

– Elle veut une jupe ? – Oui, elle aime les jupes.

1 - Il...

....

2 - Elle ....

....

3 - Vous ....

....

◆ Exercice 3 – La phrase négative. Faites comme dans l'exemple.

– *Vous aimez danser ? – Non, ...* → *– Non, **je n'aime pas danser**.*

1 - Vous êtes japonaise ?   – Non, ...

2 - Pascal parle anglais ?   – Non, ...

3 - Laura aime lire ?   – Non, ...

4 - Vous aimez le sport ?   – Non, ...

5 - Vous habitez à Paris ?   – Non, ...

◆ Exercice 4 – Qu'est-ce qu'il aime faire ? Qu'est-ce qu'il n'aime pas faire ?

→ *Il **aime chanter mais il n'aime pas danser**.*

1 - Elle ....

2 - Je ....

◆ Exercice 5 – Conjugaison. Faites comme dans l'exemple.

(avoir) Il .... un garçon et une fille. → *Il **a** un garçon et une fille.*

1 - (être) Je .... actrice.

2 - (parler) Je .... anglais et italien

3 - (habiter) Vous .... à Shanghai.

4 - (vouloir) Elle .... un sac noir

5 - (adorer) Il .... le cinéma français.

6 - (s'appeler) Je .... Antoine.

7 - (aimer) Vous .... lire.

LEÇON 7

◆ **Exercice 1 - Complétez.**

– Qu'est- __ __ que c' __ __ __ ?

– Des to __ __ __ __ __ !

– Elles sont étrang__ __ ! Ça c __ __ __ __ __ com __ __ __ __ ?

– Quinze f __ __ __ __ __ le k __ __ __ .

– Oh ! C'est cher !

– Vous voulez des av __ __ __ __ __ ? Ils sont bon m __ __ __ __ __ !

– Non, je vou __ __ __ __ __ des car __ __ __ __ __ __ et des po __ __ __ __ __ .

◆ **Exercice 2 - Faites comme dans l'exemple.**

Il est espagnol.	*Ils **sont espagnols.***
1 - Jacques parle anglais.	Jacques et Pierre ....
2 - Un kilo de pommes coûte 10 F.	Deux kilos ....
3 - Elle cherche les clés.	Elles ....
4 - Julie est jolie.	Julie et Patricia ....
5 - Michel aime le jazz.	Michel et Sophie ....

◆ **Exercice 3 - Complétez avec les adjectifs : *délicieux, beau, cher, moderne, génial,* comme dans l'exemple.**

C'est ...., la Défense. → *C'est **moderne**, la Défense.*

1 - C'est ...., le jazz.

2 - C'est ...., les pommes.

3 - C'est ...., le sport.

4 - C'est ...., les vêtements Chanel.

initial 1

CAHIER D'EXERCICES – CORRIGÉS

LEÇON 1

◆ Exercice 1
(Plusieurs solutions)

– Allô ! C'est Agathe.
– Ah, Agathe ! Bonjour. Ça va ?
– Très bien, merci.

– Pierre... c'est Anne.
– Bonjour, Anne.
– Bonjour, Pierre.
– Bonjour, Sophie ! Ça va ?
– Oui, très bien. Et vous ?
– Ça va.

◆ Exercice 2

1. Je m'appelle Anna. Je suis portugaise. J'habite à Porto.
2. Je m'appelle Rémi. J'habite à Toulouse. Je suis français.
3. Je m'appelle Mario. J'habite à Paris. Je suis portugais.

◆ Exercice 3

1. Je m'appelle Pierre Cartier. Je suis français. J'habite à Paris
2. Je m'appelle Fatima Santos. Je suis portugaise. J'habite à Lisbonne.

Et vous ? (réponse libre)

◆ Exercice 4

1. Je m'appelle Marie.
   Je suis française. J'habite à Paris.
2. – Allô, c'est Pierre.
   – Ah, Pierre ! Bonjour. Ça va ?
   – Très bien, merci.
3. Bonjour, je m'appelle Mike. J'habite à Toulouse.
4. – Bonjour, Anne. C'est Alice.
   – Bonjour, Alice. Ça va ?
   – Très bien, merci. Et vous ?
5. Bonjour, je m'appelle Marc Dumont. Je suis français. J'habite à Paris. Et vous ?

◆ Exercice 5

0 = zéro
1 = un
2 = deux
3 = trois
4 = quatre
5 = cinq

```
        C
        I
  U  N        D
  Q U A T R E
        R     U
  Z É R O     X
        I
        S
```

LEÇON 2

◆ Exercice 1

1. Je m'appelle Aline, je suis française. J'habite à Paris / à Lyon / à Marseille... Je parle français.
2. Je m'appelle Carlo, je suis italien. J'habite à Pise / à Rome / à Naples... Je parle italien.
3. Je m'appelle Chang, je suis chinois. J'habite à Pékin / à Shangai / à Hong Kong... Je parle chinois.
4. Je m'appelle Tomoko. Je suis japonaise. J'habite à Tokyo / à Osaka / à Yokohama... Je parle japonais.

◆ Exercice 2

1-d, 2-a, 3-f, 4-b, 5-c, 6-e, 7-h, 8 -g.

◆ Exercice 3

1. Je m'appelle Alexandre.
2. Vous habitez à Athènes ?
3. Je suis japonaise.
4. J'habite à Moscou.
5. Vous vous appelez Sonia ?
6. Je suis italien.

◆ Exercice 4

1. Vous êtes japonais ? Non, je suis chinois.
2. Vous êtes américaine ? Non, je suis française.
3. Vous êtes brésilienne ? Non, je suis italienne.
4. Vous êtes portugais ? Non, je suis espagnol.
5. Vous êtes anglaise ? Non, je suis indonésienne.

LEÇON 3

◆ Exercice 1

1. Elle s'appelle Sophia. Elle est italien**ne**.
   Elle est jeune, grand**e** et joli**e**.
2. Elle s'appelle Tomoko. Elle est japonais**e**.
   Elle est peti**te**, brun**e** et mince.

3. Il s'appelle John. Il est anglais. Il est grand,
   mince et blond.

◆ Exercice 2

INFINITIF	JE	IL/ELLE	VOUS
s'appeler	je m'appelle	il/elle s'appelle	vous vous appelez
habiter	j'habite	il/elle habite	vous habitez
aimer	j'aime	il/elle aime	vous aimez
être	je suis	il/elle est	vous êtes

◆ Exercice 3

1. Il est journaliste.
2. J'aime le théâtre mais j'aime aussi le cinéma.
   (ou J'aime le cinéma mais j'aime aussi
   le théâtre.)
3. Il aime le cinéma américain mais il aime aussi
   le cinéma français. (ou Il aime le cinéma
   français mais il aime aussi le cinéma américain.)

4. Vous vous appelez comment ?
5. Vous parlez français et portugais.
   (ou Vous parlez portugais et français.)

◆ Exercice 4

1. Elle s'appelle Patricia.
   Elle est brésilienne. Elle aime
   la musique classique (le piano).

2. Il s'appelle Rudolph. Il est russe.
   Il aime la danse.

◆ Exercice 5

1. Vous êtes portugaise ? (ou française, russe…)
2. Sun Qian habite à Pékin ? (ou un autre nom)
3. Vous parlez français ?

4. Elle s'appelle comment ?
5. Vous aimez la musique brésilienne ?

LEÇON 4

◆ Exercice 1

1. **C'est** Anna. **Elle est** française. **Elle est** jolie.
2. **Il est** grand et mince. **Il est** espagnol.
   C'est Pedro.
3. **Elle est** française. **Elle est** petite et brune.
   C'est Nathalie.
4. **C'est** Takashi. **Il est** brun et jeune.
   Il est japonais.
5. **C'est** Paola. **Elle est** brune et belle.
   Elle est brésilienne.

◆ Exercice 2

1. Anna est espagnol**e**. Elle habite à Madrid.
   Elle est grand**e** et très joli**e**.
2. Marc est italie**n**. Il est profess**eur**.
   Il est peti**t** et brun.
3. Victor est cuisin**ier**. Il est indonés**ien**.
   Il est grand et be**au**.
4. Jennifer est petit**e**. Elle est améric**aine**.
   Elle est brun**e** et bell**e**.
5. Dorian est angl**ais**. Il est act**eur**, il est jeun**e**
   et blond.

◆ Exercice 3

1. C'est Paul Boché. Il est français. Il est cuisinier.
   Il est célèbre.
2. C'est Andie Carey. Elle est américaine.
   Elle est actrice. Elle est jolie.
3. C'est Mario Pires. Il est brésilien.
   Il est footballeur. Il est grand.
4. C'est Tomoko Ikeda. Elle est japonaise.
   Elle est journaliste. Elle est mince.

◆ Exercice 4

1. Albert
2. Delphine
3. Florent
4. Isabelle
5. Laure
6. Nicolas
7. Pierre
8. Suzanne
9. Victor
10. Zoé

LEÇON 5

◆ Exercice 1

Dans le sac d'Agathe, il y a des cigarettes, **une carte bleue, des clés, un ticket de métro, des photos, des lettres, un portefeuille, un stylo.**

◆ Exercice 2

1. Qui est-ce ?
2. Qu'est-ce que c'est ?
3. Qu'est-ce que c'est ?
4. Qui est-ce ?
5. Qu'est-ce que c'est ?
6. Qu'est-ce que c'est ?

◆ Exercice 3

1. Une **belle** chanteuse
2. Une couturière **italienne**.
3. Un étudiant **brun**.
4. Une actrice **célèbre**.
5. Un **joli** sac.

◆ Exercice 4

Il y a	une photo	J'aime	la France
	un sac		**le** sport
	une clé		**la** musique classique
	un stylo		**la** photo
	des lettres		**le** cinéma
	des tickets		**la** danse

◆ Exercice 5

6 = **six**
7 = **sept**
8 = **huit**
9 = **neuf**
10 = **dix**
11 = **onze**
12 = douze

LEÇON 6

◆ Exercice 1

1. Non, je ne suis pas espagnol, je suis brésilien.
2. Non, il n'est pas chanteur, il est acteur.
3. Non, elle n'aime pas le jazz, elle aime la musique classique.
4. Non, je ne parle pas japonais, je parle chinois.
5. Non, elle n'habite pas à New York, elle habite à Londres.
6. Non, elle n'a pas seize ans, elle a quinze ans.

◆ Exercice 2

1. Il veut un CD ? Non, il n'aime pas la musique (ou les CD).
Il veut un livre ? Oui, il aime les livres (ou il aime lire).
2. Elle veut un portefeuille ?
Non, elle n'aime pas les portefeuilles.
Elle veut un sac ? Oui, elle aime les sacs.
3. Vous voulez un stylo ? Non, je n'aime pas les stylos.
Vous voulez un pull ? Oui, j'aime les pulls.

◆ Exercice 3

1. Non, je ne suis pas japonaise.
2. Non, il ne parle pas anglais.
3. Non, elle n'aime pas lire.
4. Non, je n'aime pas le sport.
5. Non, je n'habite pas à Paris.

◆ Exercice 4

1. Elle aime courir, mais elle n'aime pas nager.
2. J'aime parler, mais je n'aime pas lire.

◆ Exercice 5

1. Je **suis** actrice.
2. Je **parle** anglais et italien.
3. Vous **habitez** à Shanghai.
4. Elle **veut** un sac noir.
5. Il **adore** le cinéma français.
6. Je **m'appelle** Antoine.
7. Vous **aimez** lire.

LEÇON 7

◆ Exercice 1

– Qu'est-**ce** que c'**est** ?
– Des to**mates** !
– Elles sont étran**ges** ! Ça c**oûte** com**bien** ?
– Quinze f**ranc**s le **ki**lo.

– Oh ! C'est cher !
– Vous voulez des av**ocat**s ? Ils sont bon m**arché** !
– Non, je vou**drais** des c**arottes** et des po**mmes**.

_____

◆ Exercice 2

1. Jacques et Pierre **parlent anglais**.
2. Deux kilos **de pommes coûtent 20 F**.
3. Elles **cherchent les clés**.

4. Julie et Patricia **sont jolies**.
5. Michel et Sophie **aiment le jazz**.

_____

◆ Exercice 3

1. C'est **beau**, le jazz. (ou C'est **génial**, le jazz.)
2. C'est **délicieux**, les pommes.
3. C'est **génial**, le sport.

4. C'est **cher**, les vêtements Chanel. (ou C'est **beau**, les vêtements Chanel.)

◆ Exercice 4

A	+	B	=	C
Ex = 5 : cinq	+	_20 : vingt_	=	_25 : vingt-cinq_
8 : **huit**	+	7 : **sept**	=	15 : **quinze**
14 : **quatorze**	+	28 : **vingt-huit**	=	42 : **quarante-deux**
4 : **quatre**	+	6 : **six**	=	10 : **dix**
14 : **quatorze**	+	21 : **vingt et un**	=	35 : **trente-cinq**
26 : **vingt-six**	+	27 : **vingt-sept**	=	53 : **cinquante-trois**

◆ Exercice 5

1. Les garçons sont **petits**.
2. Les pommes **sont délicieuses**.
3. La Pyramide du Louvre **est moderne**.

4. Elles **sont brunes**.
5. Les bottes **sont chères**.

LEÇON 8

◆ Exercice 1

1. Un **thé**.
2. Un **café**.
3. Une **bière**.
4. Un **chocolat**.
5. Un **cocktail**.

◆ Exercice 2

Paul a 71 ans. = soixante et onze ans.
Robert a 70 ans. = soixante-dix ans.
Mélanie a 66 ans. = soixante-six ans.
Philippe a 58 ans. = cinquante-huit ans.
Michelle a 42 ans = quarante-deux ans.
Sylvie a 35 ans = trente-cinq ans.
Pierre a 17 ans = dix-sept ans.

◆ Exercice 3

1. – Bonjour, monsieur ! Combien **coûtent** les tomates ?
2. – 28 F le kilo.
3. – Oh, c'est cher !
4. – Il y a des carottes : 12 F le kilo.
5. – Non merci, je n'**aime** pas les carottes, je **préfère** les avocats.
6. – Vous **voulez / prenez** un avocat ?
7. – Oui, et je **veux / prends** aussi des pommes.

◆ Exercice 4

1. **Qu'est-ce qu'**il y a dans le sac d'Agathe ?
2. **Qu'est-ce que** vous voulez ?
3. **Est-ce que** vous aimez danser ?
4. **Qu'est-ce que** vous cherchez ?
5. **Est-ce que** vous voulez un sandwich ?

◆ **Exercice 5** – 1-c, 2-e, 3-b, 4-f, 5-d, 6-a.

LEÇON 9

◆ **Exercice 1**

1. Vous tournez à la première rue à droite.
(ou Vous prenez la première rue à droite.)

2. Vous tournez à la deuxième rue à gauche.
(ou Vous prenez la deuxième rue à gauche.)

3. Vous tournez à la troisième rue à gauche.
(ou Vous prenez la troisième rue à gauche.)

4. Vous tournez à la première rue à gauche.
(ou Vous prenez la première rue à gauche.)

◆ **Exercice 2**

1. Myriam **va** à Bogota.
2. Vous **allez** où, Paul ?
3. Lucie et Farid **vont** à Athènes.
4. Elle **va** à Tombouctou.
5. Où **vont**-ils ?

◆ **Exercice 3**

1. Je voudrais une robe.
2. Je voudrais danser.
3. Je voudrais aller à la gare.
4. Je voudrais un sandwich, une salade
et une bière.

◆ **Exercice 4**

1. Catherine tourne à gauche, avenue Marceau,
et va tout droit. Elle arrive avenue Étienne-Marcel,
prend la première rue à droite, boulevard
Jean-Jaurès, et prend la première rue à gauche,
rue de Moscou. Le Café de Paris est rue de
Moscou.

2. Mark prend le boulevard Jean-Jaurès, à gauche.
Il tourne à la première rue à droite : rue des
Écoles, et va jusqu'à la place Victor-Hugo.
Il prend la première rue à gauche, avenue
Carnot, et tourne à la première rue à gauche :
avenue de la Gare.

3. Megumi va tout droit, jusqu'à la place Victor-
Hugo. Elle tourne à la première rue à gauche,
rue des Écoles, et va tout droit jusqu'à la place
du 4-Septembre.

◆ **Exercice 5**

1. Où allez-vous ? (Vous allez où ? / Où est-ce que
vous allez ?)
2. Est-ce que vous aimez les carottes ? (Vous aimez
les carottes ? / Aimez-vous les carottes ?)
3. Qu'est-ce que vous prenez ?
4. Qu'est-ce qu'elle aime ?
5. Où vont-ils ? (Où est-ce qu'ils vont ? Ils vont où ?)

LEÇON 10

◆ **Exercice 1**

1. Nous avons besoin de fromage.
2. Éric a besoin de fruits.
3. J'ai besoin de yaourts.

4. Vous avez besoin de café.
5. Ils ont besoin de beurre.

_____

◆ **Exercice 2**

1. Amandine et Sophie **sont** française**s**.
2. Dimitri et Boris **sont** blond**s**.

3. La bière et le vin ne **sont** pas che**rs**.
4. Norma et Ute **veulent** des fruit**s** / un fruit.

_____

◆ **Exercice 3**

Martine : Nous **allons** faire les courses...
Marie-Thérèse : Nous **avons besoin de** beurre
et de fromage. Martine veut faire un gâteau.
C'est l'anniversaire de Kevin.
Libardo : Vous **allez** au supermarché à pied ?

Marie-Thérèse : Non, non. Nous **prenons**
la voiture. Nous **voulons** aussi des fruits,
des légumes...
Libardo : Vous **voulez** prendre un café, après?
Martine : Non merci, nous **avons** un rendez-vous
à la gare de Lyon.

_____

◆ **Exercice 4**

1. Je prends un imperméable.
2. Vous cherchez la gare.
3. Simon est cuisinier.

4. Ana a besoin de café.
5. Nous détestons le fromage.
6. Ils veulent un enfant.

LEÇON 11

◆ Exercice 1

1. Je cherche un très grand **appartement** de 100 **m²**, avec **trois** chambres, un grand **séjour**, une grande **cuisine**, deux **salles de bains**, deux **WC**, dans un **immeuble** neuf, avec **ascenseur** et jardin, dans un quartier **sympathique** et **vivant**, dans le **6ᵉ** arrondissement.

2. Je **cherche** un petit **appartement** de deux pièces avec deux **chambres** ou une chambre et un **séjour**, une **petite** salle de bains, une **petite** cuisine, dans un quartier **bon marché** et **vivant**, dans un immeuble **neuf** ou **ancien**.

◆ Exercice 2

1. Ah non, c'est trop loin pour moi !
2. Ah non, c'est trop ancien pour moi !
3. Ah non, c'est trop grand pour moi !
4. Ah non, c'est trop moderne pour moi !
5. Ah non, c'est trop petit pour moi !

◆ Exercice 3

1. Est-ce qu'elle aime les yaourts ? (Elle aime bien les yaourts ?)
2. Où est la tour Eiffel ? (La tour Eiffel est où ?)
3. Ça fait combien ?
4. Elle a combien d'enfants ? (Elle a des enfants ?)
5. Qu'est-ce que vous voulez (/ prenez) ?

LEÇON 12

◆ Exercice 1

1. La voiture est dans le supermarché.
2. La bière est devant la voiture.
3. Les bottes sont derrière la bière.
4. La caisse est à gauche de la voiture.
5. Les clés sont sur la caisse.
6. Les toilettes sont au fond du supermarché, à droite.

◆ Exercice 2

1. Je n'aime pas beaucoup **cette** musique, je préfère le jazz.
2. **Ce** couturier est très célèbre. Il est espagnol.
3. Regardez **ces** vêtements ! Ils sont très beaux : **cette** jupe, **ce** pull !
4. – Vous ne voulez pas **ces** gâteaux ? – Non, merci.
5. Dans **cette** rue, il y a un grand bâtiment, et dans **ce** bâtiment se trouve le bureau d'accueil.
6. Je vais à la cinémathèque avec **cet** ami, là, sur la photo.

◆ Exercice 3

INFINITIF	JE	IL/ELLE	NOUS	VOUS	ILS/ELLES
voir	je **vois**	il **voit**	nous **voyons**	vous **voyez**	ils/elles voient
avoir	j'**ai**	il/elle a	nous **avons**	vous **avez**	ils **ont**
aller	je vais	il **va**	nous **allons**	vous **allez**	ils **vont**
venir	je **viens**	il **vient**	nous **venons**	vous **venez**	ils **viennent**
prendre	je **prends**	il **prend**	nous prenons	vous **prenez**	ils **prennent**
vouloir	je **veux**	il **veut**	nous **voulons**	vous voulez	ils **veulent**

◆ Exercice 4

1. L'ascenseur **se trouve** au fond du couloir, mais il ne marche pas. Aujourd'hui, nous **prenons** l'escalier.
2. La mère de Sophie **fait** les courses à la crémerie. Elle **prend** des yaourts et des fromages.
3. Demain, c'est l'anniversaire de Marina. Elle **vient** ici et je **fais** un gâteau.

4. – Où **sont** les yaourts, s'il vous plaît ?
   – C'est facile. Vous **allez** jusqu'au rayon crémerie, c'est après le rayon charcuterie.
5. – Vous désirez ?
   – Je **cherche** le secrétariat, s'il vous plaît.
   – Vous **voyez** l'escalier derrière vous ?
   – Oui.
   – Vous **allez** jusqu'au troisième étage. C'est la première porte à droite.

LEÇON 13

◆ Exercice 1

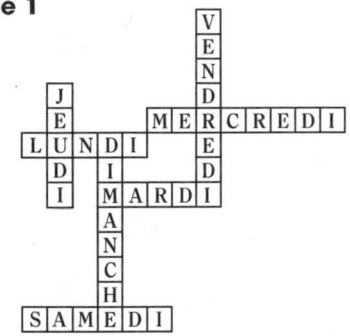

◆ Exercice 2

1. Elle se lève.
2. Elle va au bureau (ou au travail).
3. Il travaille.
4. Elles font des courses.

◆ Exercice 3

1. Il est sept heures vingt-cinq.
2. Il est cinq heures dix.
3. Il est une heure vingt.
4. Il est quatre heures cinq.

◆ Exercice 4

1. Vous dormez beaucoup ? (ou Est-ce que vous dormez beaucoup ?)
2. Vous prenez le métro tous les jours ? (ou Est-ce que vous prenez le métro tous les jours ?)
3. Vous voyez l'escalier au fond ? (ou Est-ce que vous voyez l'escalier au fond ?)

◆ Exercice 5 – 1-e, 2-d, 3-b, 4-c, 5-f, 6-a.

LEÇON 14

◆ Exercice 1

1-b, 2-d, 3-a, 4-c.

◆ Exercice 2

1. D'**habitude**, je me cou**che** à 11 heures mais aujourd'**hui**, je me **cou**che à 1 heure.
2. Ici, to**ut** le mo**nde** man**ge** en**sem**ble.
3. Tu pre**nds** le mé**tro** mais moi, je pre**nds** le bus.
4. Les **gens** pren**nn**ent le **mé**tro pour all**er** au travail.
5. Le mer**cre**di ma**tin**, je ne va**is** pas à l'**école**.

◆ Exercice 3

1. – Salut Michel.
   – Salut Alexandre, **tu vas** bien ?
   – Oui, merci et **toi** ?
   – Bien merci. **Tu prends** un café avec moi ?

2. – Excusez-moi, monsieur, le Panthéon, s'il **vous** plaît.
   – **Vous allez** tout droit, et **vous tournez** à la deuxième rue à gauche. Après c'est tout droit.

3. – **Tu aimes** la bière, Françoise ?
   – Un peu et **toi**, Gil ?
   – J'adore. **Tu viens** au cinéma ce soir ?
   – Oui. Qu'est-ce qu'il y a ?
   – **Tu aimes** les films espagnols ?

◆ Exercice 4

1. D'habitude, je vais **au** travail en métro.
2. La secrétaire sort **du** bureau et va **à l'**accueil
3. Les voisins sortent **de** l'immeuble.
4. Les yaourts se trouvent **au** rayon crémerie.
5. Vous voulez aller **aux** toilettes ? C'est la deuxième porte à droite.

LEÇON 15

◆ Exercice 1

◆ Exercice 2

1. C'est **le printemps, il fait beau.**
2. C'est **l'automne, il pleut.**
3. C'est **l'été, il fait chaud.**

◆ Exercice 3

À Paris, il pleut. Il fait 12°. À La Rochelle, il fait beau : il fait 16°.
À Marseille, il y a du soleil : il fait 18°.
À Strasbourg, il fait froid : il fait 8°.

◆ Exercice 4

1. J'**ai** cinq livres à **lire** avant octobre.
2. Nous **avons** un métro à **prendre** dans cinq minutes.
3. Tu **as** quelque chose à **faire** ce soir ? Non ? Tu viens au cinéma avec moi ?
4. Ce soir, Nadine et Christian restent au bureau jusqu'à neuf heures parce qu'ils **ont** un travail à **finir** pour demain.
5. Nous allons au supermarché : nous **avons** des yaourts à **acheter.**

LEÇON 16

◆ Exercice 1

1. on = nous
2. on = nous
3. on = les gens
4. on = nous
5. on = les gens

◆ Exercice 2

1. En Espagne, on dîne plus tard qu'en France.
   En France, on dîne moins tard qu'en Espagne.

2. Les sacs Carton sont plus chers que les sacs Tatou.
   Les sacs Tatou sont moins chers que les sacs Carton.

3. Sophie est plus souriante que Géraldine.
   Géraldine est moins souriante que Sophie.

◆ Exercice 3

1. le Brésil.
2. l'Espagne.
3. l'Égypte.
4. l'Australie.
5. le Japon.

◆ Exercice 4

1. Madoka et Sonoe vont en Allemagne.
2. Stéphanie va aux États-Unis.
3. Jim et Carla vont à Cuba.
4. Sonia va au Mexique.
5. Luis et Paola vont en Grèce.

◆ Exercice 5

1. Le pè**re** de Claire est cultivateur, il travaille du**r**.
2. Je do**rs** huit heu**res** tous les jours.
3. Liliane habite derriè**re** la ga**re** du No**rd**.
4. Elena so**rt** tous les soi**rs** et elle rent**re** ta**rd**.
5. Jérémy, le stagiai**re**, cou**rt** plus vite que David.

LEÇON 17

◆ Exercice 1

Anthony : Bonjour, Sarah !
Sarah : Anthony, ça va ?
Anthony : Oui, ça va, merci **et toi** ?
Sarah : Je vais très bien, je **pars** en vacances
la semaine prochaine.
Anthony : Tu vas où ?
Sarah : En **Inde**, à Agra, Bombay...
Anthony : Ah ! Tu vas voir le Taj Mahal.
Sarah : Oui. Et je vais aussi au **Népal**,
à Katmandou.
Anthony : Tu as de la **chance** ! Moi, je travaille cet
été à Disneyland... Je suis Mickey.
Sarah : Ah, ah, ah.

◆ Exercice 2

1. **Quel** temps fait-il ?
2. **Quel** jour sommes-nous ?
3. **Quels** livres est-ce qu'elle aime ?
4. **Quelle** bière veux-tu ?
5. Je prends **quelle** rue ensuite ?
6. **Quelles** chambres préférez-vous ?

◆ Exercice 3

1. Je **veux** dormir mais j'ai beaucoup de travail.
2. Nous **voulons** partir en Bourgogne.
3. Boris et Anita **veulent** une grande maison
en Provence près de la mer.
4. Vous **voulez** prendre le métro ?
5. Il **veut** se lever tôt.
6. Tu **veux** danser avec moi ?

◆ Exercice 4

1. **a.** Douze heures quinze
   b. Midi et quart
2. **a.** Six heures quarante-cinq
   Dix-huit heures quarante-cinq
   b. Sept heures moins le quart
3. **a.** Sept heures cinquante
   Dix-neuf heures cinquante
   b. Huit heures moins dix
4. **a.** Quatre heures trente-cinq
   Seize heures trente-cinq
   b. Cinq heures moins vingt-cinq

◆ Exercice 5

1. fais - faire
2. achète - acheter
3. prends - prendre
4. dînez - dîner

LEÇON 18

◆ Exercice 1

1. Francisco a p**eur** de prendre l'ascenseur.
2. Corinne et Jean Christian ont rendez-vous
à d**eu**x **heures**. Ils sont en retard.
3. Aujourd'hui, il pl**eut**. C'est dommage !
Mais il ne fait pas froid.
4. Je voudrais être act**eur** ou chant**eur**, mais mon
père ne v**eut** pas.
5. Mon sandwich jambon-b**eurre** est délici**eux** !

◆ Exercice 2

1. *Sylvie :* Tu veux aller au cinéma ce soir ?
J'ai deux places pour la séance
de 8 heures et demie.
Sophie : Je ne p**eux** pas. Je suis dé**solée**.
Sylvie : C'est vraiment do**mmage**.

2. *Le serveur :* Excusez-moi, je suis v**raiment** désolé.
Le client : C'est dommage pour m**es** vêtements !
Ils coûtent très cher. Je suis très fâ**ché**.

3. *Pierre :* Qu'est-ce que tu fais ce soir ?
Isabelle : Je dîne ch**ez** mon frère. C'est l'anniversaire
de **sa** petite amie. Tu veux venir ?
Pierre : Non, c'est im**possi**ble ce soir. Je ne suis
pas li**bre**. Mes parents inv**itent** toute la
famille.

◆ Exercice 3

1. Je suis vraiment désolé, mais je ne **peux** pas
aller au restaurant ce soir. Je ne suis pas libre.
2. Il ne **peut** pas courir, ses bottes sont trop petites !

3. Elle est très fatiguée, elle **veut** dormir.
4. Nous **voulons** aller au cinéma mercredi.
Il y a *Jeanne d'Arc* de Luc Besson.
5. Pierre et Régine sont au restaurant, ils **veulent**
prendre du caviar, mais c'est cher.
6. Tu as de la chance, tu **peux** aller en vacances cet été.

◆ Exercice 4

1. Elle téléphone à **son** amie.
2. **Sa** maison est loin de l'école.
3. **Mon** frère est plus jeune.
4. Tu vas chez **tes** cousins.
5. Où sont **mes** CD ?

◆ Exercice 5

1. Tu connais Élisabeth, **mon** amie de Londres ?
2. Sonia a deux frères : **son** plus jeune frère
s'appelle Antoine.
3. Mme Lapierre habite dans un immeuble sympa.
Ses voisins sont très calmes.
4. Ce professeur a de la chance, **ses** étudiants sont
tous très sérieux.
5. Ce soir, je vais au restaurant avec des amis.
C'est **mon** anniversaire.
6. Almodovar est super ! J'adore **son** film
Tout sur ma mère.
7. – Tu viens dîner chez moi ? – Oui ! Quelle est
ton adresse ?
8. Ce soir je vais à l'opéra. Je vais prendre **ma** voiture.
9. J'aime bien **mon** école. Les profs sont sympas.

LEÇON 19

◆ Exercice 1

1. Monsieur et Madame Duroc, j'aime beaucoup **votre** séjour. Il est très grand et très clair.
2. Ma sœur et moi habitons à Rennes, mais **nos** parents habitent à Quimper.
3. Nous habitons à Montmartre : **notre** immeuble est très ancien et l'ascenseur est toujours en panne.
4. **Vos** enfants lisent beaucoup ? Vous avez de la chance. Mes enfants, eux, préfèrent le foot ou la télé.
5. Mes voisins cultivent des fruits et des légumes : **leurs** tomates sont délicieuses.

◆ Exercice 2

1. Mes parents ont une vigne : ils font les vendanges en septembre. Ils ne vendent pas leur vin, c'est seulement pour **eux**.
2. Régine a un joli appartement dans le sixième arrondissement : chez **elle**, c'est très moderne.
3. **Vous** aussi, vous avez une piscine ! c'est génial !
4. Vous partez à 9 heures ? Nous partons avant **vous**, à 8 heures.
5. Marc part en vacances en Italie, Louise va avec **lui**.
6. Sur la photo, il y a Nina, Mireille et devant **elles**, c'est leur cousine.

◆ Exercice 3

1. Moi, je ne **sais** pas nager. Et toi ?
2. Bonjour. Tu **connais** Tatiana, la sœur de Luc ?
3. Vous ne **connaissez** pas le château de Fontainebleau ? C'est dommage.
4. Ma femme ne **sait** pas cuisiner.
5. Guillaume et Julie **savent** danser la salsa. Ils ont un bon professeur cubain.
6. Mes amis et moi partons en vacances en Espagne : nous **connaissons** bien l'Andalousie.

◆ Exercice 4

1. Nous pourrions aller au restaurant.
2. On pourrait/Nous pourrions aller aux États-Unis.
3. Tu veux danser ? (ou On pourrait danser.)
4. On pourrait/Nous pourrions prendre ma voiture.

LEÇON 20

◆ Exercice 1

1. Il y a **beaucoup de** bêtes dans ce champ.
2. Dans ce café, il y a **peu de** clients.
3. Isabelle a **beaucoup de** vêtements.
4. Philippe mange **beaucoup de** gâteaux.
5. **Peu d'**étudiants travaillent!

◆ Exercice 2

1. Sylvie va partir en voyage.
2. Attention ! Martial va prendre une photo.
3. Nous allons voir une pièce de Molière à la Comédie-Française.
4. Il va pleuvoir.
5. Tu vas acheter le journal?
6. Les enfants vont faire un voyage au Mont-Saint-Michel.
7. Vous allez attendre jusqu'à quelle heure ?

◆ Exercice 3

1. Où font-ils un circuit ? Ils font un circuit où ? Où est-ce qu'ils font un circuit ?
2. Pourquoi est-ce que tu prends (/vous prenez) ton (/votre) imperméable ? Pourquoi prends-tu (/prenez-vous) ton (/votre) imperméable ?
3. Quand avez-vous rendez-vous ? Quand est-ce que vous avez rendez-vous ? Vous avez rendez-vous quand ?
4. Comment s'appellent-elles ? Elles s'appellent comment ? Comment est-ce qu'elles s'appellent ?
5. À quelle heure finissent-ils leur travail ? Ils finissent leur travail à quelle heure ? À quelle heure est-ce qu'ils finissent leur travail ?

◆ Exercice 4

1. Les **enfan**ts vont **en** va**can**ces à la **cam**pagne au printemps.
2. Je vais pr**en**dre un **san**dwich **jam**bon-beurre.
3. **Dan**s cette ag**en**ce, il y a beaucoup de cli**en**ts.
4. Dim**an**che, je vais aller **dan**ser à La Locomotive.
5. Aujourd'hui, les **gen**s ont plus de vac**an**ces qu'av**an**t.

LEÇON 21

◆ **Exercice 1**

vivre – inviter – fait – finir – réussi
travaillé – avoir – pris.

◆ **Exercice 2**

1. J'**ai travaillé** huit ans dans l'import-export.
2. Nous **avons vécu** dix ans aux États-Unis
   et ensuite cinq ans en Angleterre.
   Maintenant nous habitons à Singapour.
3. Jérôme et Violaine **ont réussi** leur examen.
   Ils vont fêter ça.
4. Vous **avez eu** de la chance ! D'habitude,
   on ne peut pas visiter ce bâtiment.
5. Cyril **a cherché** ses clés dans sa chambre,
   dans la cuisine, dans le salon mais elles sont
   vraiment perdues.

◆ **Exercice 3**

Il **s'appelle** Paul Ventura.
Il **a** 34 ans.
Il **est** célibataire.
Il **a étudié** à l'école de cuisine "Le Cordon Bleu".
Il **a fait** un stage chez Paul Bocuse en 1989.
De 1990 à 1995, il **a travaillé** au restaurant
"L'Oasis" à Cannes et au "Bateau ivre" à Nice,
de 1995 à 2000.

◆ **Exercice 4**

1. Monsieur de la Chevalerie ! Vous avez **c**inq
   me**ss**ages de votre **s**œur.
2. J'ai e**ss**ayé d'acheter une boi**ss**on et un **s**andwich
   mais je n'ai pas réu**ss**i, il y a trop de monde.
3. Vanessa habite dans le **c**inquième arrondi**ss**ement :
   c'est un quartier avec beaucoup de **c**inémas.
4. Vous prenez l'a**sc**enseur jusqu'au **s**ixième étage,
   le **s**ecrétariat est au fond du couloir.
5. Mes parents **s**ont musi**c**iens, ils **s**ont e**s**pagnols
   et ils vivent en France.

LEÇON 22

◆ **Exercice 1**

```
T U J D A B E C S R
S V I E V I D J E T
R K H J R M R K P A
P N J U I L L E T M
M O A I L E A I E J
L K N N E B I O M E
F E V R I E R U B B
D E I C Q N P O R E
U Q E L T O M R E H
M A R S M V A F G V
V S P F R E I X J R
A A W I G M V Y U E
Z O C T O B R E H T
T U I E M R E A E Q
R T D E C E M B R E
L E T V N S I I P Z
```

1. janvier
2. février
3. *mars*
4. *avril*
5. mai
6. juin
7. juillet
8. août
9. septembre
10. octobre
11. novembre
12. décembre

◆ **Exercice 2**

Lundi, je me suis levée tôt. Ensuite, je suis partie
au travail. Je suis arrivée au bureau vers 9 heures.
Le soir, je suis restée jusqu'à 6 heures et je suis
rentrée chez moi.

◆ **Exercice 3**

1. René et Nathalie **sont venus** en vacances avec nous.
2. Jessie **a mangé** beaucoup de gâteaux.
3. L'année dernière, nous **sommes allé(e)s**
   en vacances en Grèce.
4. Tu es **rentré(e)** très tard du travail.
5. Alain et Pierre **ont raté** le train de 18 h 30.

◆ **Exercice 4**

1. Martine s'est levée à 7 heures. Elle a pris son
   petit déjeuner à 7 heures et demie. *Elle* est allée
   travailler à 8 heures. Elle est rentrée chez elle
   à 6 heures.
2. L'année dernière, Paul et Virginie ont fait une
   croisière. Ils se sont reposés. Ils ont nagé dans la
   piscine et ont dansé.
3. J'ai eu un rhume. Je suis allé(e) chez le médecin.
   Je suis rentré(e) chez moi et je me suis couché(e).

◆ **Exercice 5**

1. Je dois me reposer.
2. Il doit aller chez le médecin.
3. Nous devons prendre des vacances.
4. Ils doivent faire des courses.
5. Tu dois déménager.

LEÇON 23

◆ Exercice 1

1. Hier, je suis allée à la Comédie-Française.
2. Ma mère a acheté des melons au supermarché.
3. Le lendemain nous sommes montés au Parthénon.
4. Les enfants se sont baignés en Bretagne cet été.

◆ Exercice 2

1. Bruno **est monté** au Parthénon l'année dernière.
2. Ludovic et Sonia **ont pris** le bus pour venir à l'école.
3. J'**ai réfléchi**. Je vais déménager le mois prochain.
4. Mes amis se **sont baignés** le 1er janvier en Bretagne.
5. Sophie, tu **es sortie** ? Non ? C'est étrange, j'**ai appelé** toute la soirée...
6. Paul, pourquoi vous **vous êtes levé** à cinq heures, ce matin ?

◆ Exercice 3

1. Viviane et Patricia habitent **toutes** les deux dans le treizième arrondissement.
2. Nous avons écouté des CD **toute** la nuit.
3. Mes voisins travaillent **tout** le temps. Le dimanche aussi, ils vont au bureau.
4. Tu as mangé **tout** le gâteau ? Tu aimes vraiment le chocolat.
5. Vous avez réussi **tous** vos examens ? C'est bien.
6. J'ai dansé **toute** la soirée.

◆ Exercice 4

1. Le jeudi, **je** déjeune au restaurant avec le stagiaire.
2. En juillet, nous sommes allés à la plage d'Antibes. Nous avons vu beaucoup de concerts de jazz, le soir.
3. Les Japonais voyagent beaucoup, surtout en Europe et aux États-Unis.
4. Ta jupe est très jolie ! Mais, c'est étrange, d'habitude, tu as toujours des jeans.

◆ Exercice 5

L'année dernière, je suis allé en vacances une semaine en Italie avec mon frère, en Toscane. C'est magnifique ! Nous nous sommes baignés tous les jours dans la piscine de la maison de nos amis. Le premier jour, nous sommes allés à Florence au musée des Offices : c'est superbe ! Le deuxième jour, nous avons visité Sienne : c'est aussi très beau. Ensuite, nous nous sommes reposés. J'adore la cuisine italienne : les spaghettis, les pizzas, le Chianti... L'année prochaine, je voudrais faire une croisière en Sardaigne et en Sicile.

LEÇON 24

◆ Exercice 1

1-c, 2-e, 3-d, 4-a, 5-f, 6-b.

◆ Exercice 2

Élise a un **frère** : Paul.
Ses **oncles** s'appellent Laurent, Claude, Serge et Alain.
Les **tantes** d'Élise et de Paul s'appellent Louise, Christine, Béatrice et Véronique.
Roger et Jacques sont les **grands-pères** d'Élise et de Paul.
Madeleine et Anne-Marie sont leurs **grands-mères.**

◆ Exercice 3

1. L'année dernière, Isabelle **est allée** en vacances en Provence.
2. Le mois prochain, je **vais acheter** une nouvelle voiture.
3. Lucien **a eu** un accident il y a deux mois.
4. Françoise **a appelé** il y a une heure.
5. Ce mois-ci, le métro **ne marche pas.**
6. Lucile et Florence **vont sortir** du travail dans deux heures.

◆ Exercice 4

1. – **Si,** j'adore le café.
2. – **Oui,** je vais à Aix-les-Bains.
3. – **Si,** elle a une bronchite.
4. – **Oui,** nous allons voir le dernier film de Georges Lucas.

◆ Exercice 5

Elles ont pris leur petit déjeuner à l'hôtel, devant la plage. Elles se sont promenées dans les petites villes. Elles se sont baignées tous les jours. Elles ont visité beaucoup de monuments et ont parlé à beaucoup de gens très intéressants. Elles ont essayé de nouveaux restaurants tous les soirs et sont beaucoup sorties. Elles ont de la chance !

◆ **Exercice 4 – Complétez le tableau, comme dans l'exemple.**

A	+	B	=	C
5 : cinq	+	*20 : vingt*	=	*25 : vingt-cinq*
8 : _____	+	7 : _____	=	___ : _____
14 : _____	+	28 : _____	=	___ : _____
4 : _____	+	6 : _____	=	___ : _____
14 : _____	+	21 : _____	=	___ : _____
26 : _____	+	27 : _____	=	___ : _____

◆ **Exercice 5 – Faites comme dans l'exemple.**

moderne, grand, petit, étrange.

→ *La tour Eiffel est grande.*

1 - petit, délicieux, rouge, moderne.

Les garçons ....

....

2 - noir, bleu, mince, délicieux.

Les pommes ....

....

3 - mince, moderne, japonais, cher.

La Pyramide du Louvre ....

....

4 - blond, étrange, délicieux, brun.

Elles ....

....

5 - célèbre, cher, blond, mince.

Les bottes ....

....

LEÇON 8

◆ **Exercice 1 – Faites comme dans l'exemple.**

 *Un* _ _ _ _ *wich.* → *Un **sand**wich.*

 **1** - Un t __ é.

 **4** - Un ch __ __ o __ __ t.

 **2** - Un c __ f __ .

 **5** - Un c __ c __ t __ __ l.

 **3** - Une b __ è __ e.

◆ **Exercice 2 – Faites comme dans l'exemple.**

La cousine Andréa n'est pas jeune : elle a 92 ans. = ***quatre-vingt-douze ans***

Elle a des enfants :

Paul a 71 ans. = ...

Robert a 70 ans. = ...

Mélanie a 66 ans. = ...

Philippe a 58 ans. = ...

Paul a deux filles :

Michelle a 42 ans. = ...

Sylvie a 35 ans. = ...

Michelle a un garçon :

Pierre a 17 ans. = ...

◆ Exercice 3 – Complétez avec : *prendre, préférer, vouloir, aimer, coûter.*

1 – Bonjour, monsieur ! Combien .... les tomates ?

2 – 28 F le kilo.

3 – Oh, c'est cher !

4 – Il y a des carottes : 12 F le kilo.

5 – Non merci, je n'.............................. pas les carottes, je ....
les avocats.

6 – Vous .... un avocat ?

7 – Oui, et je .... aussi des pommes.

◆ Exercice 4 – Complétez avec *Est-ce que* ou *Qu'est-ce que* comme dans l'exemple.

– ....*Bénédicte prend un thé ?*
– *Oui, elle prend un thé.*
→ ***Est-ce que*** *Bénédicte prend un thé ?*

– ....*Léo prend ?*
– *Il prend une bière française.*
→ ***Qu'est-ce que*** *Léo prend ?*

1. – .... il y a dans le sac d'Agathe ?
 – Il y a des clés, un portefeuille, une carte bleue…

2. – .... vous voulez ?
 – Je veux un thé.

3. – .... vous aimez danser ?
 – Oui, j'adore danser.

4. – .... vous cherchez ?
 – Je cherche un cinéma.

5. – .... vous voulez un sandwich ?
 – Non, je prends une salade.

◆ Exercice 5 – Faites comme dans l'exemple.

1 - Est-ce qu'elle aime le jazz ?

2 - Qu'est-ce que vous prenez ?

3 - Est-ce qu'il veut un thé ?

4 - Qu'est-ce qu'elle cherche ?

5 - Est-ce que Yuko est jeune ?

6 - Vous avez des bières brunes ?

a - Oui, j'ai des bières brunes.

b - Non, il préfère un café.

c - Oui, elle adore ça.

d - Oui, elle est jeune.

e - Une bière française, s'il vous plaît.

f - Le sac d'Agathe.

LEÇON 9

◆ **Exercice 1 - Faites comme dans l'exemple.**

Vous tournez à la deuxième rue à droite.
ou
Vous prenez la deuxième rue à droite.

1 - ....
....
....

3 - ....
....
....

2 - ....
....
....

4 - ....
....
....

◆ **Exercice 2 - Complétez avec *aller* comme dans l'exemple.**

Je .... à Moscou. → *Je **vais** à Moscou.*

1 - Myriam .... à Bogota.

2 - Vous .... où, Paul ?

3 - Lucie et Farid .... à Athènes.

4 - Elle .... à Tombouctou.

5 - Où .... -ils ?

◆ **Exercice 3 - Faites comme dans l'exemple.**

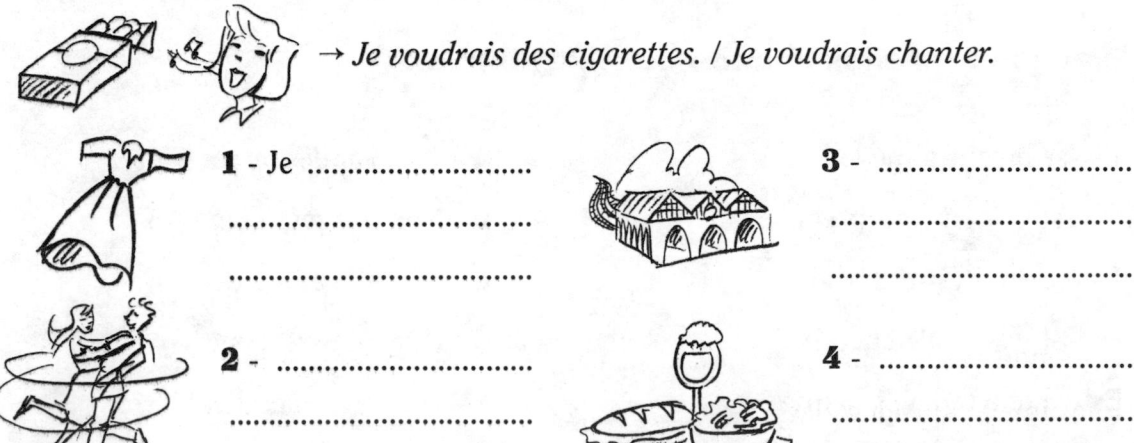

→ *Je voudrais des cigarettes. / Je voudrais chanter.*

1 - Je ....
....
....

3 - ....
....
....

2 - ....
....
....

4 - ....
....
....

◆ Exercice 4 – Faites comme dans l'exemple.

Ils sont perdus !

Pierre cherche
la rue Étienne-Marcel,
il est à la gare.

Catherine cherche
le Café de Paris,
elle est rue
du Général-de-Gaulle.

Mark cherche la gare,
il est au Café de Paris.

Megumi cherche
la place du 4-Septembre,
elle est rue Albert-Ier.

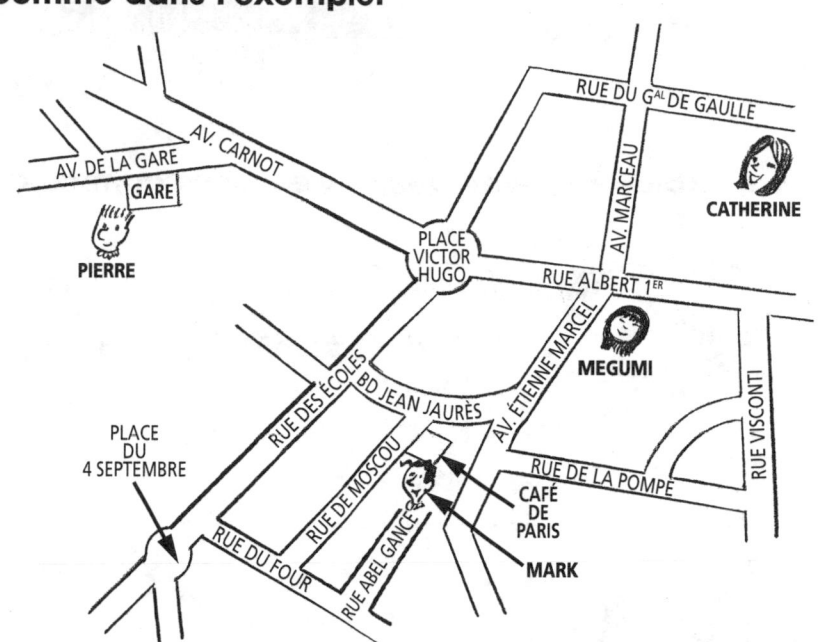

Pierre prend la première rue à droite, avenue Carnot, et va tout droit jusqu'à la place Victor-Hugo. Il arrive rue Albert-Ier et prend la première rue à droite : rue Étienne-Marcel.

1 - *Catherine tourne à gauche, avenue Marceau,* ....
....

2 - *Mark prend le boulevard Jean-Jaurès à gauche,* ....
....

3 - *Megumi* ....
....
.

◆ Exercice 5 – Posez les questions comme dans les exemples.

Je vais à la gare. → ***Où allez -vous ? (Vous allez où ? / Où est-ce que vous allez ?)***

Je prends du thé. → ***Qu'est-ce que vous prenez ?***

Oui, j'aime beaucoup le jazz. → ***Est-ce que vous aimez le jazz ? (Aimez-vous le jazz ? / Vous aimez le jazz ?)***

1 - Je vais à la cinémathèque. ....?

2 - Non, je n'aime pas les carottes. ....?

3 - Je prends bière. ....?

4 - Elle aime la musique classique. ....?

5 - Ils vont au Café de la gare. ....?

LEÇON 10

◆ **Exercice 1 –** *Avoir besoin de*. **Faites comme dans l'exemple.**

Catherine ....

→ *Catherine **a besoin de pommes**.*

1 - Nous ....

2 - Éric ....

3 - J' ....

4 - Vous ....

5 - Ils ....

◆ **Exercice 2 – Pluriel. Faites comme dans l'exemple.**

Ondine a un portefeuille rouge. → *Ondine et Ana **ont des** portefeuilles rouges.*

1 - Amandine est française. Amandine et Sophie..................................

2 - Dimitri est blond. Dimitri et Boris ....

3 - La bière n'est pas chère. La bière et le vin ne ....

4 - Norma veut un fruit. Norma et Ute ....

◆ **Exercice 3 -** *Nous* **et** *vous*. **Complétez le dialogue.**

Libardo : Bonsoir, Martine, bonsoir, Marie-Thérèse.

Martine et Marie-Thérèse : Bonsoir, Libardo.

Libardo : Où **allez**-vous ? *(aller)*

Martine : Nous .... *(aller)* faire les courses...

Marie-Thérèse : Nous .... *(avoir besoin de)* beurre et de fromage.

Martine veut faire un gâteau. C'est l'anniversaire de Kevin.

Libardo : Vous .... *(aller)* au supermarché à pied ?

Marie-Thérèse : Non, non. Nous .... *(prendre)* la voiture. Nous ....

(vouloir) aussi des fruits, des légumes...

Libardo : Vous .... *(vouloir)* prendre un café, après ?

Martine : Non merci, nous .... *(avoir)* un rendez-vous à la gare de Lyon.

◆ **Exercice 4 - Reliez comme dans l'exemple.**

1 - Je	est	café
2 - Vous	prends	un imperméable
3 - Simon	détestons	cuisinier
4 - Ana	cherchez	le fromage
5 - Nous	veulent	la gare
6 - Ils	a besoin de	un enfant

LEÇON 11

◆ **Exercice 1 - Faites comme dans l'exemple.**

Cherche petit appartement, clair, quartier sympathique.
2 pièces :
1 chambre et 1 séjour.
Ascenseur, jardin.
3e ou 4e arrondissement.

Je .... un petit appartement clair, de deux .... avec une .... et un .... dans un .... sympathique, dans le troisième ou quatrième .... Je veux un immeuble avec ascenseur et ....

→ Je **cherche** un petit appartement clair, de deux **pièces** avec une **chambre** et un **séjour**, dans un **quartier** sympathique, dans le troisième ou quatrième **arrondissement**. Je veux un immeuble avec ascenseur et **jardin**.

---

1 -

Cherche très grand appartement 100 m², 3 chambres, 1 grand séjour, 1 grande cuisine, 2 salles de bains, 2 WC, immeuble neuf, ascenseur, jardin, quartier sympathique, vivant, 6e.

Je cherche un très grand .... de 100 ...., avec .... chambres, un grand ...., une grande ...., deux ...., deux ...., dans un ....neuf, avec .... et jardin, dans un quartier .... et ...., dans le .... arrondissement.

2 -

Cherche petit deux-pièces,
2 chambres ou
1 chambre + 1 séjour,
1 petite salle de bains,
1 petite cuisine, quartier bon marché, vivant, immeuble neuf ou ancien.

Je .... un petit .... de deux pièces avec deux .... ou une chambre et un ...., une .... salle de bains, une .... cuisine, dans un quartier .... et ...., dans un immeuble .... ou ....

◆ **Exercice 2 – Faites comme dans l'exemple.**

– *Vous voulez un sac Hermès ? (cher)*

– ***Ah non, c'est trop cher pour moi !***

1 - Vous voulez un appartement à Tahiti ? (loin)

....

2 - Vous voulez une maison de 1930 ? (ancien)

....

3 - Vous voulez un appartement de 300 m² ? (grand)

....

4 - Vous aimez le quartier de la Défense ? (moderne)

....

5 - Vous voulez un appartement de deux pièces ? (petit)

....

◆ **Exercice 3 – Questions. Faites comme dans l'exemple.**

– .... ? – *J'habite à Rennes.*

– ***Où habitez-vous ?*** – *J'habite à Rennes.*

1 - ....

– Oui, elle aime bien les yaourts.

2 - ....

– La tour Eiffel ? Elle est derrière vous.

3 - ....

– Ça fait 30 francs.

4 - ....

– Elle a deux garçons et trois filles.

5 - ....

– Un kilo de tomates et deux kilos de pommes.

LEÇON 12

◆ **Exercice 1 – Un supermarché étrange ! Utilisez** *dans*, *devant*, *sur*, *au fond*, **à** *droite*, **à** *gauche*, **et faites comme dans l'exemple.**

Où sont les légumes ? → ***Les légumes sont sur la voiture.***

1 - Où est la voiture ?

....

2 - Où est la bière ?

....

3 - Où sont les bottes ?

....

4 - Où est la caisse ?

....

5 - Où sont les clés ?

....

6 - Où sont les toilettes ?

....

◆ **Exercice 2 – Complétez avec** *ce*, *cet*, *cette*, *ces* **comme dans l'exemple.**

.... *cinéma est très grand mais il est loin.*

→ ***Ce*** *cinéma est très grand mais il est loin.*

1 - Je n'aime pas beaucoup .... musique, je préfère le jazz.

2 - .... couturier est très célèbre. Il est espagnol.

3 - Regardez .... vêtements ! Ils sont très beaux : .... jupe, ... pull !

4 - Vous ne voulez pas .... gâteaux ? - Non, merci.

5 - Dans .... rue, il y a un grand bâtiment, et dans .... bâtiment se trouve le bureau d'accueil.

6 - Je vais à la cinémathèque avec .... ami, là, sur la photo.

◆ **Exercice 3 - Complétez.**

Infinitif	Je	Il/Elle	Nous	Vous	Ils/Elles
					ils/elles voient
		il/elle a			
	je vais				
venir					
			nous prenons		
				vous voulez	

◆ **Exercice 4 - Conjugaison. Faites comme dans l'exemple.**

– Vous .... *(voir)* le grand bâtiment ?
– Oui.
– La cinémathèque............................ *(se trouver)* derrière.

– Vous **voyez** le grand bâtiment ?
– Oui.
– La cinémathèque **se trouve** derrière.

1. – L'ascenseur .... *(se trouver)* au fond du couloir, mais il ne marche pas.
   Aujourd'hui, nous .... *(prendre)* l'escalier.

2. – La mère de Sophie .... *(faire)* les courses à la crémerie. Elle ....
   (prendre) des yaourts et des fromages.

3. – Demain, c'est l'anniversaire de Marina. Elle .... *(venir)* ici et je
   .... *(faire)* un gâteau.

4. – Où .... *(être)* les yaourts, s'il vous plaît ?
   – C'est facile. Vous .... *(aller)* jusqu'au rayon crémerie, c'est après le rayon
   charcuterie.

5. – Vous désirez?
   – Je .... *(chercher)* le secrétariat, s'il vous plaît.
   – Vous .... *(voir)* l'escalier derrière vous ?
   – Oui.
   – Vous .... *(aller)* jusqu'au troisième étage. C'est la première porte à droite.

LEÇON 13

◆ **Exercice 1 – Complétez avec les jours de la semaine.**

L U N D I

◆ **Exercice 2 – Qu'est-ce qu'ils font ? Faites comme dans l'exemple.**

2 heures → ***Il dort.***

1 - 7 heures ....

2 - 8 heures ....

3 - 10 heures ....

4 - 6 heures ....

◆ Exercice 3 – Faites comme dans l'exemple.

→ *Il est neuf heures vingt.*

1 - Il est ....

2 - Il est ....

3 - Il est ....

4 - Il est ....

◆ Exercice 4 – Faites comme dans l'exemple.

Commencer - 9 heures → **Tu commences à 9 heures ?**
ou Est-ce que tu commences à 9 heures ?

1 - Dormir - beaucoup

....

2 - Prendre le métro - tous les jours

....

3 - Voir - l'escalier au fond

....

◆ Exercice 5 – *Pourquoi / Parce que*. Reliez comme dans l'exemple.

1 - Pourquoi Brigitte déménage ?

2 - Pourquoi tu achètes un gâteau ?

3 - Pourquoi vous allez à la cinémathèque ?

4 - Pourquoi sont-ils là ?

5 - Pourquoi elle habite dans le 5ᵉ arrondissement ?

6 - Pourquoi est-ce que tu n'aimes pas le lundi ?

a - Parce que je me lève tôt.

b - Parce que nous voulons voir un film de Truffaut.

c - Parce qu'ils ont une convocation à neuf heures.

d - Parce que c'est l'anniversaire de Paul.

e - Parce qu'elle veut un grand appartement.

f - Parce que c'est un quartier vivant.

LEÇON 14

◆ **Exercice 1 - Faites comme dans l'exemple.**

1 → b   *2 → ………*   *3 → ………*   *4 → ………*

1 - Laurence : Allô, Pierre ?

Pierre : Oui.

Laurence : Bonjour, c'est Laurence. Ça va ?

Pierre : Oui, bien et toi ?

Laurence : Ça va. Qu'est-ce que tu fais ce soir ?

a -

2 - Le serveur : Bonjour, qu'est-ce que vous prenez ?

Joël : Je voudrais un café. Et toi ?

Pierre : Moi, je prends un chocolat.

Le serveur : C'est tout ?

- b

c -

3 - Le directeur : Bonjour, madame Dupont, vous arrivez tôt ce matin.

La secrétaire : Oui, je veux faire ce travail avant six heures.

4 - Un jeune homme : Tu veux regarder la télé ce soir ?

Une jeune femme : Non, je veux dormir.

- d

◆ **Exercice 2 - Complétez comme dans l'exemple.**

Le mat __ __, je co __ __ __ nce à 8 heures et le s __ __ r, je fi __ i __ à 5 heures.

*→ Le mat**in**, je co**mme**nce à 8 heures et le s**oi**r, je fi**nis** à 5 heures.*

1. D'__ __ bitude, je me cou __ __ __ à 11 heures, mais aujourd'__ __ __ , je me

c __ __ che à 1 heure.

2. Ici, to __ __ le mo __ de ma __ g __ en __ __ __ ble.

3. Tu pre __ __ s le mé __ __ o mais moi, je p __ en __ __ le bus.

4. Les g __ __ s pre __ __ ent le __ __ tro pour al __ __ r au tra __ __ il.

5. Le merc __ __ di mat __ __ , je ne va __ __ pas à l'éc __ __ e.

◆ **Exercice 3 – *Tu* ou *vous*. Faites comme dans l'exemple.**

– *Bonjour, monsieur, ... ? (désirer)*

– *Je voudrais 1 kg de tomates et 2 kg de pommes, s'il .... plaît.*

→ – *Bonjour, monsieur, **vous désirez** ?*

   – *Je voudrais 1 kg de tomates et 2 kg de pommes, s'il **vous** plaît.*

1. – Salut, Michel.

   – Salut, Alexandre, ... *(aller)* bien ?

   – Oui, merci et .... ?

   – Bien, merci. .... *(prendre)* un café avec moi ?

2. – Excusez-moi, monsieur, le Panthéon, s'il .... plaît.

   – ....*(aller)* tout droit, et .... *(tourner)* à la deuxième rue à gauche. Après c'est tout droit.

3. – ....*(aimer)* la bière, Françoise ?

   – Un peu et ...., Gil?

   – J'adore. .... *(venir)* au cinéma ce soir ?

   – Oui. Qu'est-ce qu'il y a ?

   – .... *(aimer)* les films espagnols ?

◆ **Exercice 4 – Complétez avec *au / aux / du / des / à la / à l' / de la / de l'*, comme dans l'exemple.**

*Attention .... portes ! → Attention **aux** portes !*

1 - D'habitude, je vais .... travail en métro.

2 - La secrétaire sort .... bureau et va .... accueil.

3 - Les voisins sortent .... immeuble.

4 - Les yaourts se trouvent .... rayon crémerie

5 - Vous voulez aller .... toilettes ? C'est la deuxième porte à droite.

LEÇON 15

◆ **Exercice 1 - Complétez avec les saisons.**

					É	T	É

◆ **Exercice 2 - Faites comme dans l'exemple.**

C'est ...., ...

→ C'est **l'hiver, il fait froid**

1 - C'est ...., ...

2 - ....

3 - ....

◆ **Exercice 3 – Faites comme dans l'exemple.**

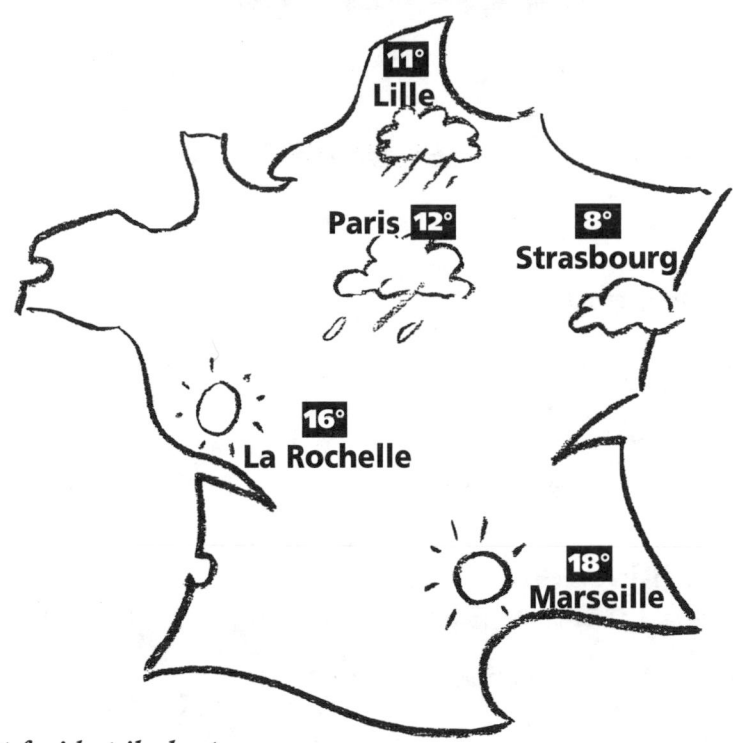

À Lille, il fait froid et il pleut.

À Paris, ...

....

....

....

◆ **Exercice 4 – *Avoir à* + infinitif. Complétez avec *avoir* + *finir, lire, prendre, faire, acheter* ou *passer*, comme dans l'exemple.**

Ma sœur .... *deux examens à* .... *à l'automne.*

*→ Ma sœur **a** deux examens à **passer** à l'automne.*

1 - J'................ cinq livres à .... avant octobre.

2 - Nous .... un métro à .... dans cinq minutes.

3 - Tu .... quelque chose à ....ce soir ? Non ? Tu viens au cinéma avec moi ?

4 - Ce soir, Nadine et Christian restent au bureau jusqu'à neuf heures parce qu'ils .... un travail à ....pour demain.

5 - Nous allons au supermarché : nous .... des yaourts à ....

LEÇON 16

◆ **Exercice 1** – *On = nous* ou *on = les gens* ? **Complétez comme dans les exemples.**

On va au cinéma ? → on = **nous**

Aux États-Unis, on parle anglais. → on = **les gens**

1 - Il fait froid, on prend un chocolat chaud ?   on = ...

2 - On part en Grèce demain !   on = ...

3 - En Normandie, on cultive beaucoup les pommes.   on = ...

4 - On reste encore une semaine ici.   on = ...

5 - On dîne tôt en Allemagne.   on = ...

◆ **Exercice 2** – *Plus que..., moins que...* **Complétez comme dans l'exemple.**

Anton Luc
grand

*Anton est **plus** grand **que** Luc.*

*ou Luc est **moins** grand **qu'**Anton.*

tard

1 - En Espagne, ...

En France, ...

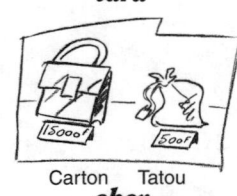

Carton   Tatou
cher

2 - Les sacs Carton ....

Les sacs Tatou ....

Sophie   Géraldine
souriante

3 - Sophie ....

Géraldine ....

◆ Exercice 3 – Cherchez le pays ! Complétez comme dans l'exemple.

C'est un pays d'Amérique, on parle anglais et français. L'hiver il neige beaucoup.
*C'est **le Canada**.*

1 - Dans ce pays, on cultive beaucoup le café et on adore le football et la samba.

C'est ....

2 - C'est un pays près de la France. Là, on cuisine la paella et on danse le flamenco.

C'est ....

3 - Ce pays se trouve en Afrique. C'est le pays de Cléopâtre et de Toutankhamon.

C'est ....

4 - Dans ce pays, on parle anglais. Il y a des kangourous et des koalas.

C'est ....

5 - C'est le pays du judo, du sumo, du karaté, des kimonos, du saké et du mont Fuji.

C'est ....

◆ Exercice 4 – Où vont-ils en vacances ? Complétez comme dans l'exemple.

*Cornélius – Italie → Cornélius **va en** Italie.*

1 - Madoka et Sonoe - Allemagne
Madoka et Sonoe.................................

2 - Stéphanie - États-Unis
Stéphanie ....

3 - Jim et Carla - Cuba
Jim et Carla.................................

4 - Sonia - Mexique
Sonia ....

5 - Luis et Paola - Grèce
Luis et Paola ....

◆ Exercice 5 – Le son (R). Complétez avec r / rr / re / rs, etc., comme dans l'exemple.

Martha préfè __ __ dormi __ dans la voitu __ __ .
*→ Martha préfè**re** dormi**r** dans la voitu**re**.*

1 - Le pè__ __ de Claire est cultivateu __ , il travaille du __ .

2 - Je do __ __ huit heu __ __ __ tous les jours.

3 - Liliane habite derriè __ __ la ga __ __ du No __ __ .

4 - Elena so __ __ tous les soi __ __ et elle rent __ __ ta __ __ .

5 - Jérémy, le stagiai __ __ , cou __ __ plus vite que David.

LEÇON 17

◆ **Exercice 1 – Complétez avec** *pars / et toi / chance / été / Inde / Népal.*

Anthony et Sarah sont au téléphone.

Anthony :	Bonjour, Sarah !
Sarah :	Anthony, ça va ?
Anthony :	Oui, ça va, merci, ... ?
Sarah :	Je vais très bien, je .... en vacances la semaine
	prochaine.
Anthony :	Tu vas où ?
Sarah :	En ...., à Agra, Bombay...
Anthony :	Ah ! Tu vas voir le Taj Mahal…
Sarah :	Oui. Et je vais aussi au ...., à Katmandou.
Anthony :	Tu as de la ....! Moi, je travaille cet ....
	à Disneyland... Je suis Mickey.
Sarah :	Ah, ah, ah.

◆ **Exercice 2 – Complétez avec : *quel, quelle, quels, quelles,* comme dans l'exemple.**

.... *heure est-il ?* → ***Quelle** heure est-il ?*

1 - .... temps fait-il ?

2 - .... jour sommes-nous ?

3 - .... livres est-ce qu'elle aime ?

4 - .... bière veux-tu ?

5 - Je prends .... rue ensuite ?

6 - .... chambres préférez-vous ?

◆ Exercice 3 – *Vouloir*. Complétez comme dans l'exemple.

Marie .... aller au cinéma ce soir. → *Marie **veut** aller au cinéma ce soir.*

1 - Je .... dormir mais j'ai beaucoup de travail.

2 - Nous .... partir en Bourgogne.

3 - Boris et Anita .... une grande maison en Provence près de la mer.

4 - Vous .... prendre le métro ?

5 - Il .... se lever tôt.

6 - Tu .... danser avec moi ?

◆ Exercice 4 – Heure officielle / Heure familière. Complétez comme dans l'exemple.

a - treize heures trente
b - une heure et demie

1.

a - ....

b - ....

3.

a - ....

b - ....

2.

a - ....

b - ....

4.

a - ....

b - ....

◆ Exercice 5 – Cherchez les verbes à l'impératif et écrivez l'infinitif comme dans l'exemple.

Michel,
  Ce soir, je rentre tard !
S'il te plaît, <u>va</u> chercher
les enfants à l'école et <u>fais</u>
les courses : <u>achète</u> des
fruits et des légumes.
  <u>Prends</u> aussi des
yaourts et des gâteaux.
<u>Dîne</u> sans moi !
  Bonne soirée.
              Carole

*va → **aller***

1 - .... → ....

2 - .... → ....

3 - .... → ....

4 - .... → ....

LEÇON 18

◆ **Exercice 1 – Complétez avec : -eu(s), -eut, -eux, -eus(e), -eur(s), -eure(s), -eurre, comme dans l'exemple.**

1 - Francisco a **peur** de prendre l'ascenseur.

2 - Corinne et Jean-Christian ont rendez-vous à d __ __ __ h __ __ __ __ __ __ .
Ils sont en retard.

3 - Aujourd'hui, il pl __ __ __ . C'est dommage ! Mais il ne fait pas froid.

4 - Je voudrais être act __ __ __ ou chant __ __ __ , mais mon père ne v __ __ __ pas.

5 - Mon sandwich jambon-b __ __ __ __ __ est délici __ __ __ !

◆ **Exercice 2 – Complétez comme dans l'exemple.**

1 - *Sylvie :* Tu veux aller au cinéma ce soir ? J'ai deux places pour la séance de 8 heures et demie.

Sophie : Je ne p**eux** pas. Je suis dé**solée**.

Sylvie : C'est vraiment do __ __ __ __ __ __ .

2 - *Le serveur :* Ex __ __ __ __z- __ __ __ , je suis vr __ __ __ __ __ __ t désolé.

Le client : C'est dommage pour m __ __ vêtements ! Ils coûtent très cher. Je suis très fâ __ __ __ .

3 - *Pierre :* Qu'est-ce que tu fais ce soir ?

Isabelle : Je dîne ch __ __ mon frère. C'est l'anniversaire de s __ petite amie. Tu veux venir ?

Pierre : Non, c'est im __ __ __ __ __ ble ce soir. Je ne suis pas li __ __ __ . Mes parents inv __ __ __ __ __ __ toute la famille.

◆ Exercice 3 – Complétez avec *pouvoir* ou *vouloir* comme dans l'exemple.

Je .... des yaourts et du fromage. → *Je **veux** des yaourts et du fromage.*

1 - Je suis vraiment désolé, mais je ne .... pas aller au restaurant ce soir. Je ne suis pas libre.

2 - Il ne .... pas courir, ses bottes sont trop petites !

3 - Elle est très fatiguée, elle .... dormir.

4 - Nous .... aller au cinéma mercredi. Il y a *Jeanne d'Arc* de Luc Besson.

5 - Pierre et Régine sont au restaurant, ils .... prendre du caviar, mais c'est cher.

6 - Tu as de la chance, tu .... aller en vacances cet été.

◆ Exercice 4 – Faites comme dans l'exemple.

M̶o̶n̶ / M̶a̶ / Mes parents sont en vacances.

1 - Elle téléphone à son / sa / ses amie.

2 - Son / Sa / Ses maison est loin de l'école.

3 - Mon / Ma / Mes frère est plus jeune.

4 - Tu vas chez ton / ta / tes cousins.

5 - Où sont mon / ma / mes CD ?

◆ Exercice 5 – Complétez avec : *mon, ma, mes, ton, ta, tes, son, sa, ses,* comme dans l'exemple

Ce soir elle dîne chez .... parents. → *Ce soir elle dîne chez **ses** parents.*

1 - Tu connais Élisabeth, ... amie de Londres ?

2 - Sonia a deux frères : .... plus jeune frère s'appelle Antoine.

3 - Mme Lapierre habite dans un immeuble sympa. .... voisins sont très calmes.

4 - Ce professeur a de la chance, ... étudiants sont tous très sérieux.

5 - Ce soir, je vais au restaurant avec des amis. C'est .... anniversaire.

6 - Almodovar est super ! J'adore .... film *Tout sur ma mère*.

7 - Tu viens dîner chez moi ? – Oui ! Quelle est .... adresse ?

8 - Ce soir je vais à l'opéra. Je vais prendre .... voiture.

9 - J'aime bien .... école. Les profs sont sympas.

LEÇON 19

◆ **Exercice 1 – Complétez avec :** *notre, nos, votre, vos, leur, leurs,* **comme dans l'exemple.**

.... *voiture n'est pas jeune ! Et vous voulez partir en Inde avec ? C'est loin !*

→ ***Votre*** *voiture n'est pas jeune ! Et vous voulez partir en Inde avec ? C'est loin !*

1 - Monsieur et madame Duroc, j'aime beaucoup .... séjour.
Il est très grand et très clair.

2 - Ma sœur et moi habitons à Rennes, mais .... parents habitent à Quimper.

3 - Nous habitons à Montmartre : .... immeuble est très ancien et l'ascenseur
est toujours en panne.

4 - .... enfants lisent beaucoup ? Vous avez de la chance. Mes enfants,
eux, préfèrent le foot ou la télé.

5 - Mes voisins cultivent des fruits et des légumes : .... tomates sont délicieuses.

◆ **Exercice 2 – Complétez avec :** *moi, toi, lui, elle, nous, vous, eux,* *elles,* **comme dans l'exemple.**

Tu sais, sans ...., je suis perdu, mais j'ai de la chance, tu es toujours avec ....

→ *Tu sais, sans **toi**, je suis perdu, mais j'ai de la chance, tu es toujours avec **moi**.*

1 - Mes parents ont une vigne : ils font les vendanges en septembre. Ils ne vendent pas
leur vin, c'est seulement pour ....

2 - Régine a un joli appartement dans le sixième arrondissement : chez ....,
c'est très moderne.

3 - .... aussi, vous avez une piscine ! c'est génial !

4 - Vous partez à 9 heures ? Nous partons avant ...., à 8 heures.

5 - Marc part en vacances en Italie, Louise va avec ....

6 - Sur la photo, il y a Nina, Mireille et devant ...., c'est leur cousine.

◆ Exercice 3 – *Savoir / connaître.* Complétez comme dans l'exemple.

Vous .... l'Italie ? → *Vous **connaissez** l'Italie ?*

1 - Moi, je ne .... pas nager. Et toi ?

2 - Bonjour. Tu .... Tatiana, la sœur de Luc ?

3 - Vous ne .... pas le château de Fontainebleau ? C'est dommage.

4 - Ma femme ne .... pas cuisiner.

5 - Guillaume et Julie .... danser la salsa. Ils ont un bon professeur cubain.

6 - Mes amis et moi partons en vacances en Espagne : nous .... bien l'Andalousie.

◆ Exercice 4 – Proposer. Complétez comme dans l'exemple.

On pourrait aller à la piscine.

1 - Nous pourrions ....

2 - On ....

3 - ....

4 - ....

LEÇON 20

◆ **Exercice 1 – Complétez avec** *beaucoup de* **ou** *peu de,* **comme dans l'exemple.**

Il y a .... monde devant le cinéma.

*→ Il y a **beaucoup de** monde devant le cinéma.*

1 - Il y a .... bêtes dans ce champ.

2 - Dans ce café, il y a .... clients.

3 - Isabelle a .... vêtements.

4 - Philippe mange .... gâteaux.

5 - .... étudiants travaillent !

◆ **Exercice 2 – Futur proche. Complétez avec** *aller* **+ infinitif, comme dans l'exemple.**

*Je - dîner → Je **vais** dîner.*

1 - Sylvie - partir en voyage ....

2 - Attention ! Martial - prendre une photo ....

3 - Nous - voir une pièce de Molière à la Comédie-Française ....

4 - Il - pleuvoir ....

5 - Tu - acheter le journal ? ....

6 - Les enfants - faire un voyage au Mont-Saint-Michel ....

7 - Vous - attendre jusqu'à quelle heure ? ....

◆ Exercice 3 – Interrogation. Posez les questions comme dans l'exemple.

*Je vais partir à Rome **demain**.* →   ***Quand** vas-tu partir ?*

                                      ***Quand** est-ce que tu vas partir ?*

                                      *Tu vas partir à Rome **quand** ?*

1 - Ils font un circuit **en Égypte**. ....

....

2 - Je prends mon imperméable **parce qu'**il va pleuvoir. ....

....

3 - Nous avons rendez-vous **demain soir**. ....

....

4 - Elles s'appellent **Marion et Sarah**. ....

....

5 - Ils finissent leur travail **à 5 heures**. ....

....

◆ Exercice 4 – Complétez avec : *-en, -an, -em, -am*, comme dans l'exemple.

Sandrine habite d __ __ s un gr __ __ d appartem __ __ t d __ __ s le cinquième arrondissem __ __ t.

→ *Sandrine habite d**an**s un gr**an**d appartem**en**t d**an**s le cinquième arrondissem**en**t.*

1 - Les __ __ f __ __ ts vont __ __ vac __ __ ces à la c __ __ pagne au print __ __ ps.

2 - Je vais pr __ __ dre un s __ __ dwich j __ __ bon-beurre.

3 - D __ __ s cette ag __ __ ce, il y a beaucoup de cli __ __ ts.

4 - Dim __ __ che, je vais aller d __ __ ser à La Locomotive.

5 - Aujourd'hui, les g __ __ s ont plus de vac __ __ ces qu'av __ __ t.

LEÇON 21

◆ **Exercice 1 – Complétez avec le participe passé ou l'infinitif comme dans l'exemple.**

acheter	**acheté**
....	vécu
....	invité
faire	....
....	fini
réussir	....
travailler	....
....	eu
prendre	....

◆ **Exercice 2 – Passé composé. Complétez avec les verbes : *travailler, vivre, avoir, faire, réussir, chercher*, comme dans l'exemple.**

Qu'est-ce que vous .... ce matin à huit heures ?
→ *Qu'est-ce que vous **avez fait** ce matin à huit heures ?*

1 - J'.............................. huit ans dans l'import-export.

2 - Nous .... dix ans aux États-Unis et ensuite cinq ans en Angle-

terre. Maintenant nous habitons à Singapour.

3 - Jérôme et Violaine .... leur examen. Ils vont fêter ça.

4 - Vous .... de la chance ! D'habitude, on ne peut pas visiter ce bâtiment.

5 - Cyril .... ses clés dans sa chambre, dans la cuisine, dans le salon mais

elles sont vraiment perdues.

◆ Exercice 3 - Regardez ce CV et complétez.

Nom : Ventura
Prénom : Paul
Situation familiale : célibataire

Nationalité : française
Âge : 34 ans

Langues
anglais, allemand, italien.

Études
1989 : école de cuisine « Le Cordon Bleu ».

Expérience professionnelle
1989-1990 : stage chez Paul Bocuse.
1990-1995 : cuisinier au restaurant « L'Oasis » à Cannes.
1995-2000 : cuisinier au restaurant « Le Bateau ivre » à Nice.

Il .... Paul Ventura.

Il .... 34 ans.

Il .... célibataire.

Il .... à l'école de cuisine « Le Cordon Bleu ».

Il .... un stage chez Paul Bocuse en 1989.

De 1990 à 1995, il .... au restaurant « L'Oasis » à Cannes et au « Bateau ivre » à Nice, de 1995 à 2000.

◆ Exercice 4 - Complétez avec s / ss / c / sc / t, comme dans l'exemple.

Aujourd'hui, __'est l'anniver __ aire de __ ylvie.

→ Aujourd'hui, **c**'est l'anniver**s**aire de **S**ylvie.

1 - Mon __ ieur de la Chevalerie ! Vous avez __ inq me __ __ ages de votre   œur.

2 - J'ai e __ __ ayé d'acheter une boi __ __ on et un __ andwich mais je n'ai pas

réu__ __ i, il y a trop de monde.

3 - Vanessa habite dans le __ inquième arrondi __ __ ement : __'est un quartier avec

beaucoup de __ inémas.

4 - Vous prenez l'a __ __ en __ eur ju __ qu'au __ ixième étage, le __ ecrétariat est au

fond du couloir.

5 - Mes parents __ ont musi __ iens, ils __ ont e __ pagnols et ils vivent en Fran __ e.

LEÇON 22

◆ **Exercice 1 – "Mots mêlés". Trouvez les 12 mois de l'année et complétez comme dans l'exemple.**

```
T U J D A B E C S R
S V I E V I D J E T
R K H J R M R K P A
P N J U I L L E T M
M O A I L E A I E J
L K N N E B I O M E
F E V R I E R U B B
D E I C Q N P O R E
U Q E L T O M R E H
M A R S M V A F G V
V S P F R E I X J R
A A W I G M V Y U E
Z O C T O B R E H T
T U I E M R E A E Q
R T D E C E M B R E
L E T V N S I I P Z
```

1 - ....

2 - ....

3 - *mars*

4 - *avril*

5 - ....

6 - ....

7 - ....

8 - ....

9 - ....

10 - ....

11 - ....

12 - ....

◆ **Exercice 2 – Écrivez le texte au passé composé comme dans l'exemple.**

Le matin, **je me lève** tôt. Ensuite, **je pars** au travail. **J'arrive** au bureau vers 9 heures. Le soir, **je reste** jusqu'à 6 heures et **je rentre** chez moi.

Lundi, *je me suis levée tôt.* ....

....

◆ **Exercice 3 – Écrivez au passé composé comme dans l'exemple (Attention ! *être* ou *avoir*).**

*Au café, nous (prendre) un chocolat. → Au café, nous **avons pris** un chocolat.*

1 - René et Nathalie *(venir)* en vacances avec nous.

....

2 - Jessye *(manger)* beaucoup de gâteaux.

....

3 - L'année dernière, nous *(aller)* en vacances en Grèce.

....

4 - Tu *(rentrer)* très tard du travail.

....

5 - Alain et Pierre *(rater)* le train de 18 h 30.

....

◆ Exercice 4 – Passé composé. Complétez.

7 heures *7 heures et demie* *8 heures* *6 heures*

1 - Martine **s'est levée** à 7 heures. Elle **a pris** son petit déjeuner à 7 heures et demie.

Elle..

....

2 - L'année dernière, Paul et Virginie ....

....

3 - Je ....

....

◆ Exercice 5 – *Devoir*. Faites comme dans l'exemple.

Tous les jours, elle arrive en retard au bureau. (se lever plus tôt)

→ *Elle **doit** se lever plus tôt.*

1 - Je suis très fatiguée. *(se reposer)* ....

2 - Il a une bronchite. *(aller chez le médecin)* ....

3 - Nous travaillons beaucoup. *(prendre des vacances)* ....

4 - Ils ont invité des amis à dîner. *(faire des courses)* ....

5 - Tu n'aimes pas ton quartier. *(déménager)* ....

LEÇON 23

◆ **Exercice 1 – Passé composé. Faites comme dans l'exemple.**

l'aéroport / Nous / dans / avons / un / déjeuné / restaurant / de / .

→ ***Nous avons déjeuné dans un restaurant de l'aéroport.***

1 - Française / Hier / la / suis / Comédie / je / allée / à / .

....

2 - melons / supermarché / Ma / des / a / au / mère / acheté / .

....

3 - Parthénon / Le / montés / nous / lendemain / au / sommes / .

....

4 - été / en / enfants / baignés / Les / cet / se / Bretagne / sont / .

....

◆ **Exercice 2 – Passé composé avec *être* ou *avoir*. Complétez comme dans l'exemple.**

(se promener) Nous .... sur la plage jusqu'à midi.

→ *Nous **nous sommes promené(e)s** sur la plage jusqu'à midi.*

1 - *(monter)* Bruno .... au Parthénon l'année dernière.

2 - *(prendre)* Ludovic et Sonia .... le bus pour venir à l'école.

3 - *(réfléchir)* Je .... Je vais déménager le mois prochain.

4 - *(se baigner)* Mes amis .... le 1ᵉʳ janvier en Bretagne.

5 - *(sortir)* Sophie, tu ....? Non ? C'est étrange, *(appeler)*

je .... toute la soirée...

6 - *(se lever)* Paul, pourquoi vous .... à cinq heures, ce matin ?

◆ Exercice 3 – Complétez avec : *tout, toute, tous, toutes,* comme dans l'exemple.

Je fais de la gymnastique .... les jours.

*→ Je fais de la gymnastique **tous** les jours.*

1 - Viviane et Patricia habitent .... les deux dans le treizième arrondissement.

2 - Nous avons écouté des CD .... la nuit.

3 - Mes voisins travaillent .... le temps. Le dimanche aussi, ils vont au bureau.

4 - Tu as mangé .... le gâteau ? Tu aimes vraiment le chocolat.

5 - Vous avez réussi .... vos examens ? C'est bien.

6 - J'ai dansé .... la soirée.

◆ Exercice 4 – Complétez avec « j » ou « g » comme dans l'exemple.

La femme de __érard est __eune et __olie.

*→ La femme de **G**érard est **j**eune et **j**olie.*

1 - Le __eudi, __e dé __eune au restaurant avec le sta __iaire.

2 - En __uillet, nous sommes allés à la plage d'Antibes. Nous avons vu beaucoup de concerts de __azz, le soir.

3 - Les __aponais voya __ent beaucoup, surtout en Europe et aux États-Unis.

4 - Ta __upe est très __olie ! Mais, c'est étran __e, d'habitude, tu as toujours des __ eans.

◆ Exercice 5 – Orthographe. Complétez comme dans l'exemple.

L'année dern**ière**, je suis allé en vacan __ __ __ une semaine en Italie avec mon frère,

en Toscane. C'est mag __ __ __ ique ! Nous nous sommes bai __ __ __ __ tous les jours

dans la pis __ __ ne de la maison de nos amis. Le premier jour, nous sommes al __ __ __

à Florence au musée des Offices : c'est superbe ! Le deuxième jour, nous avons vis __ __ __

Sienne : c'est aussi très beau. Ensuite, nous nous sommes repo __ __ __ .

J'adore la __ __ __ sine italienne : les spaghettis, les pizzas, le Chianti...

L'année procha __ __ __ , je voudrais faire une c __ __ __ sière en Sardaigne et en Sicile.

LEÇON 24

◆ **Exercice 1 – Reliez les moments de la journée, comme dans l'exemple.**

1 - Ce matin

2 - Cet après-midi

3 - Hier soir

4 - Demain midi

5 - La nuit dernière

6 - Ce soir

a - Claudie va déjeuner chez ses parents.

b - nous allons au théâtre après dîner.

c - j'ai pris un grand café et deux croissants.

d - Stéphane est venu dîner à la maison

e - les enfants vont s'amuser sur la plage.

f - je n'ai pas dormi.

◆ **Exercice 2 – La famille. Complétez comme dans l'exemple.**

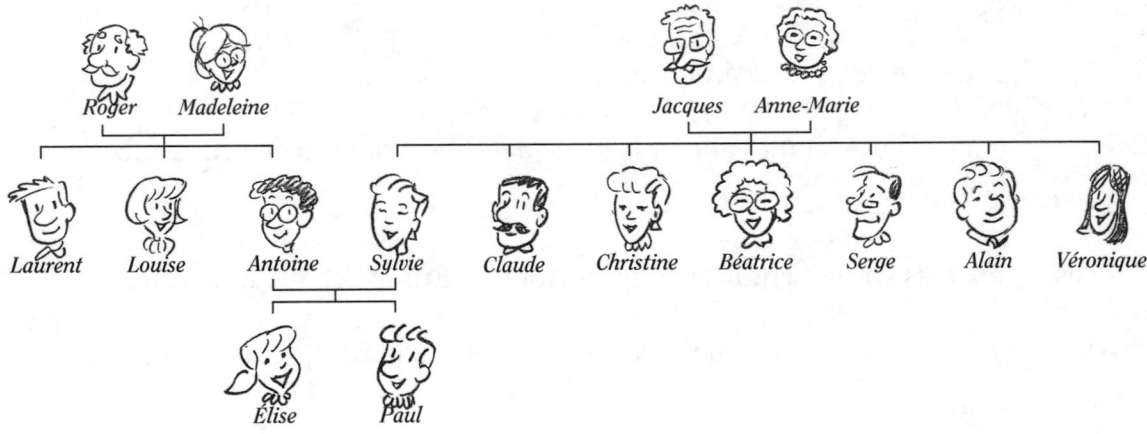

Les parents d'Élise et de Paul s'appellent **Antoine et Sylvie**.

Élise a un .... : Paul.

Ses .... s'appellent Laurent, Claude, Serge et Alain.

Les .... d'Élise et de Paul s'appellent Louise, Christine, Béatrice et Véronique.

Roger et Jacques sont les ....-................ d'Élise et de Paul.

Madeleine et Anne-Marie sont leurs ....-.................

◆ **Exercice 3 – Écrivez les verbes au présent, au passé composé ou au futur proche, comme dans l'exemple.**

Il (travailler) .... dans ce supermarché depuis 5 ans.
→ *Il **travaille** dans ce supermarché depuis 5 ans.*

1 - L'année dernière, Isabelle *(aller)* .... en vacances en Provence.

2 - Le mois prochain, je *(acheter)* .... une nouvelle voiture.

3 - Lucien *(avoir)* .... un accident il y a deux mois.

4 - Françoise *(appeler)* .... il y a une heure.

5 - Ce mois-ci, le métro *(ne pas marcher)* ....

6 - Lucile et Florence *(sortir)* .... du travail dans deux heures.

◆ **Exercice 4 – Écrivez une réponse affirmative comme dans les exemples.**

– *Tu ne dînes pas chez tes parents ce soir ?*
– *.............., je dîne chez eux.*
→ ***Si**, je dîne chez eux.*

– *Guy a raté son train ?*
– *.............., il est arrivé trop tard.*
→ ***Oui**, il est arrivé trop tard.*

1. – Tu n'aimes pas le café ?
– ...., j'adore le café.

2. – Sébastien, vous allez faire une cure thermale cet été ?
– ...., je vais à Aix-les-Bains.

3. – Ta sœur n'est pas malade ?
– ...., elle a une bronchite.

4. – Vous allez au cinéma ?
– ...., nous allons voir le dernier film de Georges Lucas.

◆ **Exercice 5 – Patricia et Stéphanie écrivent à Géraldine pour raconter leurs vacances.**

Bonjour de Grèce !

Ici, il fait très beau. Nous nous levons tard tous les matins. Nous prenons notre petit déjeuner à l'hôtel, devant la plage. Nous nous promenons dans les petites villes. Nous nous baignons tous les jours. Nous visitons beaucoup de monuments et parlons à beaucoup de gens très intéressants. Nous essayons de nouveaux restaurants tous les soirs et sortons beaucoup !

Géraldine raconte à son ami Pierre les vacances de Patricia et Stéphanie.

" *Les vacances de Patricia et Stéphanie se sont bien passées. Il a fait très beau. Elles se sont levées tard tous les matins* ....
....
....
....
....
....
....
....
....

LEÇON 1

à (être / habiter… **à** Paris, Tokyo, Toulouse…) ....

allô ....

je m'appelle (s'appeler) ....

bonjour ....

ça va ....

c'est ....

et ....

français, française ....

j'habite (habiter) à ....

je / j' ....

merci ....

moi ....

non ....

oui ....

portugais, portugaise ....

je suis (être) ....

très bien ....

vous ....

1 : un ; 2 : deux ; 3 : trois ; 4 : quatre ; 5 : cinq ....

....

....

LEÇON 2

américain, -e ....

anglais, -e ....

aussi (vous aussi, moi aussi) ....

brésilien, -ne ....

chinois, -e ....

espagnol, -e ....

étudiant, -e ....

indonésien, -ne ....

italien, -ne ....

japonais, -e ....

mademoiselle ....

parler ....

professeur ....

russe ....

vous, moi (pron. toniques) ....

LEÇON 3

aimer / aimer bien ....

blond, -e ....

brun, -e ....

le cinéma ....

classique ....

comment ? (vous vous appelez comment ?) ....

la danse ....

elle ....

grand, -e ....

il ....

le jazz ....

jeune ....

joli, -e ....

le journaliste / la journaliste ....

mais ....

mince ....

moderne ....

la musique ....

ou ....

petit, -e ....

le sport ....

surtout ....

le théâtre ....

LEÇON 4

acteur, actrice ....

avec ....

beau, belle ....

célèbre ....

chanteur, chanteuse ....

cinéaste ....

couturier ....

la cuisine ....

cuisinier ....

écrivain ....

épeler ....

étrange ....

excusez-moi ! ....

footballeur ....

lui (pron. tonique) ....

madame ....

monsieur ....

nom ....

pardon ! ....

prénom ....

qui ? (qui est-ce ?) ....

s'il vous plaît ....

très ....

le voyage ....

zut ....

BILAN et STRATÉGIES 1

musicien, musicienne ....

pianiste ....

LEÇON 5

un an ....

avoir ....

beaucoup ....

un bébé ....

bleu, -e ....

une carte (d'identité, bleue…) ....

chercher ....

une clé ....

une cigarette ....

une cousine ....

d'accord ....

dans ....

de ....

des enfants ....

une famille ....

une fille ....

un garçon ....

il y a ....

une lettre ....

une minute ....

oh là là ! ....

une photo ....

un portefeuille ....

qu'est-ce que… ? ....

rouge ....

un sac ....

un stylo ....

un ticket (de métro) ....

6 (six) – 7 (sept) – 8 (huit) – 9 (neuf) ....

10 (dix) – 11 (onze) – 12 (douze) – 13 (treize) ....

14 (quatorze) – 15 (quinze) – 16 (seize) ....

....

....

....

....

LEÇON 6

adorer ....

alors ....

un anniversaire ....

bon ....

un CD ....

courir ....

danser ....

demain ....

je ne sais pas ....

un jeans ....

une jupe ....

lire ....

un livre ....

la mère ....

nager ....

noir ....

le père ....

préférer ....

un pull ....

le rap ....

seulement ....

travailler ....

un vêtement ....

vouloir ....

LEÇON 7

un ananas ....

aujourd'hui ....

un avocat ....

bon marché ....

des bottes (une botte) ....

ça ....

une carotte ....
cher, -ère ....
combien ....
coûter → combien ça coûte ? ....
délicieux, -se ....
elles ....
un franc ....
génial, -e ....
ils ....
un imperméable ....
un kilo(gramme) → 5 / 23 / 49... kilos/ ....
    kilogrammes ....
un melon ....
une pomme ....
une robe ....
les soldes (m.) ....
une tomate ....
un vendeur, une vendeuse ....
voilà ....
je voudrais ....
17 (dix-sept) - 18 (dix-huit) - 19 (dix-neuf) ....
20 (vingt) - (21, 22, 23...) - 30 : trente ....
40 : quarante - 50 : cinquante - ....
100 (cent), 150, 200, 500..., 900, 1000 (mille) ....
....
....
....

LEÇON 8

l'addition ....
allemand, -e ....
belge ....
le beurre ....
bien (très bien) ....
une bière ....
une boisson ....
ça fait + ... francs ....
un café ....
un chocolat ....
un cocktail ....
détester ....
est-ce que... ....
le fromage ....
Garçon (!) ....
le jambon ....
un jus (de tomate, d'ananas...) ....
des légumes ....
messieurs-dames ....
une omelette ....
prendre ....
une salade (une salade verte) ....
un sandwich ....
un serveur, une serveuse ....
un thé ....
(c'est) tout ....
60 (soixante) - 70 (soixante-dix) - ....
80 (quatre-vingts) - 90 (quatre-vingt-dix) - ....
99 (quatre-vingt-dix-neuf) ....
....

BILAN et STRATÉGIES 2

un fleuve	....
un jardin	....
là	....
un musée	....
une place	....
un pont	....
une rue	....
une tour	....

LEÇON 9

à droite	....
à gauche	....
aller	....
à pied	....
après	....
arriver	....
au revoir	....
bonne soirée	....
un chemin	....
la cinémathèque	....
un/une concierge	....
en métro (un métro)	....
facile	....
une gare	....
jusqu'à	....
loin	....
où ?	....
perdu, -e	....
prendre (une rue, le métro…)	....
près (tout près)	....
un rendez-vous	....
tourner (à droite, à gauche)	....
tout droit	....
premier - deuxième - troisième	....
	....
	....

LEÇON 10

un ami, une amie	....
après (+ nom)	....
au fond	....
avoir besoin de (+ nom)	....
barbu	....
ça y est ?	....
la caisse	....
la charcuterie	....
les courses	....
la crémerie	....
devant	....
faire (les courses)	....
une femme	....
les fruits (un fruit)	....
un gâteau, des gâteaux	....
un homme	....

une liste ....
une maison ....
nous ....
peser ....
le rayon ....
rester ....
souriant, -e ....
sur ....
une voiture ....
un yaourt ....

LEÇON 11

ancien, -ne ....
un appartement ....
un arrondissement ....
un ascenseur ....
attendez ....
une chambre ....
clair, -e ....
une cuisine (une pièce) ....
déménager ....
désirer ....
un deux-pièces ....
un employé, une employée ....
un étage ....
haut, -e ....
un immeuble ....
un m² (un mètre carré) ; des m² (des mètres carrés) ....
neuf, -ve ....
une pièce ....
un plan ....
pour (pour moi / pour le quartier) ....
un quartier ....
regarder ....
une salle de bains ....
sans ....
un séjour ....
sympathique ....
un trois-pièces ....
trop ....
vivant, -e ....
un voisin, une voisine ....
des WC (des toilettes) ....
quatrième - cinquième - sixième ....
....
....

LEÇON 12

l'accueil ....
un bâtiment ....
un bureau ....
ce, cet, cette, ces ....
le commerce ....
une convocation ....
un couloir ....
le début ....
un escalier ....

une heure ....
ici ....
une inscription ....
international ....
ça ne marche pas ....
une porte ....
pour (l'inscription) ....
une salle ....
un/une secrétaire ....
le secrétariat ....
un stage ....
un/une stagiaire ....
se trouver ....
voir ....
venir ....
septième - huitième - neuvième - dixième ....

LEÇON 13

l'après-midi (n.m.) ....
avoir de la chance ....
bien sûr ....
commencer (–par) ....
(le) dimanche ....
dormir ....
(être) en retard ....
un fils, une fille ....
finir ....
la gymnastique ....
un jour (tous les jours) ....
se lever ....
(le) lundi ....
(le) mardi ....
le matin ....
(le) mercredi ....
ni... ni... ....
parce que ....
Pourquoi ? ....
prêt, -e ....
(le) samedi ....
la semaine ....
tard ....
tôt ....
tu, toi ....
(le) vendredi ....
vite ....

LEÇON 14

Attention ! ....
avant ....
un bus ....
se coucher ....
le déjeuner ....

demi, -e ....

d'habitude ....

une école ....

ensemble ....

faire (-> conjugaison) ....

les gens ....

manger ....

midi ....

le monde (tout – / il y a beaucoup de –) ....

(c'est) normal ....

on (= nous) ....

rentrer ....

le soir ....

sortir ....

un supermarché ....

la télé ....

Tiens ! ....

le travail ....

vrai (c'est –) ....

LEÇON 15

amusant, -e ....

une année ....

avoir (quelque chose) à (faire) ....

l'automne (n.m.) ....

les bêtes (n.f.) ....

le blé ....

la campagne ....

un champ ....

(il fait -> faire) chaud ....

un cultivateur ....

cultiver ....

dur, -e ....

en ....

l'été (n.m.) ....

un examen ....

fatigant, -e ....

(il fait -> faire) froid ....

l'hiver ....

intéressant, -e ....

octobre ....

passer un examen ....

il pleut (pleuvoir) ....

le printemps ....

quelque chose ....

une saison ....

souvent ....

surtout ....

toujours ....

tranquille ....

les vendanges ....

la vigne ....

LEÇON 16

à bientôt ....

bas, -se ....

un bulletin météo(rologique) ....

d'abord ....
décembre ....
degré (ex. : 35°) ....
dîner ....
élevé, -e ....
encore ....
enfin ....
moins (– que) ....
il neige (neiger) ....
le Nord ....
un nuage ....
plus (– que) ....
presque ....
quand ....
une sieste ....
le soleil ....
le Sud ....
super ....
la température ....
le temps ....
tu sais (exclamation) ....
les vacances (n.f.pl.) ....
voici ....

BILAN et STRATÉGIES 4

les pâtes (n.f.) ....
un cours ....

LEÇON 17

à tout à l'heure ....
à x heure(s) moins... ....
acheter ....
l'amour ....
attends (attendre) ....
l'aventure ....
avoir l'air + adj. ....
(avoir) envie de ....
fatigué, -e ....
un film ....
passer (un film) ....
(avoir) peur de ....
un quart ....
quel, quelle ....
se retrouver ....
une salle ....
salut ....
savoir (je ne sais pas) ....
une séance ....
sortir (pour aller au cinéma, au théâtre…) ....
tout de suite ....

LEÇON 18

appeler (quelqu'un au téléphone) ....
la bouche ....
changer ....

chez ....

connaître ....

une dent ....

désolé, -e ....

dommage (c'est –) ....

s'excuser ....

fâché, -e ....

un frère ....

impossible ....

inviter ....

libre (être) ....

mon, ma, mes ....

les parents (n.m.pl.) ....

penser ....

peut-être ....

une place ....

pouvoir ....

une sœur ....

son, sa, ses ....

tant pis ! ....

téléphoner ....

ton, ta, tes ....

LEÇON 19

chez + pronom ....

demain ....

être d'accord ....

eux ....

une exposition ....

il faut + inf. (falloir) ....

une fête ....

fêter ....

une idée ....

inviter ....

leur, leurs ....

notre, nos ....

nouveau, nouvelle ....

un parc ....

se passer ....

une piscine ....

plutôt ....

pourquoi pas ? ....

une promenade (faire –) ....

une réussite ....

vers (+ heure) ....

votre, vos ....

LEÇON 20

une agence de voyages ....

après-demain ....

autrichien, -ne ....

avril ....

un billet ....

une brochure ....

un circuit ....

un client, une cliente ....

une croisière ....

grec, grecque ....

une île ....

juin ....

mai ....

maman ....

partir ....

peu de ....

réfléchir ....

revenir ....

un touriste ....

BILAN et STRATÉGIES 5

un arrêt ....

une arrivée ....

un départ ....

un train ....

LEÇON 21

août ....

attirer l'attention ....

avoir + note (+ en + matière) ....

une banque ....

célibataire ....

chéri, -e (mon, ma –) ....

comprendre ....

un CV (curriculum vitae) ....

déjà ....

dernier, -ère (l'année dernière) ....

difficile ....

un emploi ....

en même temps ....

ensuite ....

essayer de + inf. ....

étudier ....

un exercice ....

faire un stage ....

l'import-export ....

intérimaire ....

juillet ....

les mathématiques (n.f.pl.) ....

ne … jamais ....

ne … rien ....

novembre ....

préparer ....

la publicité ....

Quoi donc ? ....

réussir ....

septembre ....

vivre ....

voyons… ....

LEÇON 22

(être) absent ....

à cause de ....
à table ! ....
la banlieue ....
une bronchite ....
une cure thermale (faire –) ....
devoir ....
exagérer ....
février ....
gentil, -ille ....
hier ....
janvier ....
malade ....
mars ....
un médecin ....
la montagne ....
pour (= à cause de) ....
prendre (des vacances) ....
un problème ....
rater son / le train ....
se reposer ....
un rhume ....
tu as vu l'heure ? ....
vraiment ....

LEÇON 23

archéologique ....
se baigner ....
un bateau-mouche ....
bronzé, -e ....
un copain ....
le lendemain ....
longtemps ....
magnifique ....
monter ....
une pièce de théâtre ....
une plage ....
seul, -e ....
seulement ....
superbe ....
tout, -e ....
voyager ....

LEÇON 24

s'amuser ....
autre ....
avant ....
bisous (un bisou) ....
se cacher ....
dans (+ temps) ....
depuis ....
dire ....
la grand-mère ....
le grand-père ....
le grenier ....
un mariage ....
un marié, une mariée ....
se marier ....
un message ....

l'oncle ....

prochain, -e ....

rappeler ....

se rappeler ....

reconnaître ....

un répondeur ....

rire ....

sans doute ....

la tante ....

tout de même ....

le week-end ....

BILAN et STRATÉGIES 6

une bicyclette ....

une discothèque ....

N° Editeur : 10072595-(1)-20-(OSBA80) - Février 2000
Imprimé en France par I.M.E. - 25110 Baume-les-Dames - N° imprimeur : 14034